受動喫煙からの解放記念日!!

医師 田淵貴大
ストラテジスト 永江一石
弁護士 藤原唯人

まえがき

これは、２０２０年2月、喫煙可の焼き鳥屋で、タバコを吸わないH君が、友人たち5名で飲み会をした時の話。

H君と1名の女性を除いて、残りの3名は喫煙者でした。そこの焼き鳥屋は喫煙可のお店でしたから、彼らは何のためらいもなくタバコを吸い始めました。女性はタバコの煙が嫌そうでしたが、彼らに気を遣って何も言えない様子でした。

そんななか、彼らの話題は２０２０年4月から施行される「改正健康増進法」に。喫煙者3名は口を揃えて言うのでした。

「今回の改正健康増進法はおかしいよな。全ての飲食店が原則禁煙になるなんて、喫煙者の自由を奪っている！」

それに同調するように、焼き鳥屋の店主も声を上げました。

「そんなもん守る気はない！　お客さんがタバコ吸いたいって言うなら、うちは吸わせてあげるつもりだ」

呆れたH君は言いました。

「店主、それは法律違反になるんです。通報されちゃいますよ」

しかし、話の通じない店主。

「まさか、H君は通報しないよね？　そんなことしたら出入り禁止にするよ」なんて言い出しました――。

その翌日、タバコ嫌いのH君はわたしに連絡をくれました。

「永江さん、こういう時どうすれば喫煙者や店主を説得できるのでしょう？」


2018年7月、「望まない受動喫煙をなくす」という観点で、健康増進法の一部が改正され、全国の飲食店は屋内原則禁煙と定められました。そして、この改正健康増進法は2020年4月から施行されることになりました。

しかし残念ながら、先ほどの焼き鳥屋の店主のように、改正健康増進法の存在を知りながらも、「禁煙にするのか、喫煙可にするのかは、うちで決める」なんて言っている方がまだまだ大勢います。

こうした飲食店側の主張を聞いてみると、さまざまな意見が出てきます。

「喫煙者のお客さんが店に来られなくなったら、うちの売上が下がっちゃうじゃないか」
「完全禁煙にしなくても、分煙で十分なんじゃないの？」
「タバコだって、お酒やコーヒーと同じ嗜好品じゃないか。それを奪うのは可哀想だ」

今、本書をお読みの皆さんのなかにも、こうした主張に対し「たしかに」と納得してしまう方がいるかもしれません。それもそのはず。「タバコは身体に悪い」ということは漠然と知っていても、普段の生活のなかで、タバコがもたらす害について正しい情報を手に入れるのは困難だからです。

また、非喫煙者であっても「自分はタバコを吸っていないから大丈夫」と、安易に捉えている方が多いのではないでしょうか。しかし、自分がタバコを吸っていなくても、あなたは「受動喫煙」をしている時点で被害者になっています。

タバコの煙には3種類あります。喫煙者が吸う側から出てくる「主流煙」、火のついたタバコの先から出てくる「副流煙」、そして喫煙者が吐き出した「呼出煙《こしゅつ》」です。受動喫煙とは、このうちの副流煙と呼出煙を吸ってしまうことを言います。**副流煙には、4000種類以上の化学物質が含まれており、この含有量は、実は主流煙よりも多い**とされています。

そして、**受動喫煙が原因で亡くなっている方は、年間で約1万5000名**にもおよびます。これは、年間の交通事故死亡者数の約5倍です。しかも、1万5000名のうち**70名以上は子ども**なのです。

あなた自身が、あなたの家族が、あなたのお子さんが、受動喫煙によって命を落とすかもしれない、そしてそれは「交通事故で命を落とすよりも確率が高い」と思ったら、決して他人事と捉えることはできないのではないでしょうか。

申し遅れましたが、わたしは新規商品開発や集客プロモーションなどを手掛けているコンサルタントでありストラテジストの永江一石《いっせき》と申します。わたしはなによりタバコの煙が大嫌いでして、バーチャル政党「危険な受動喫煙撲滅党」というものを立ち上げたほどです。こちらの政党、なんと現在数百名規模にまでなりました。自身のブログやSNSなどで、受動喫煙についての情報を頻繁に発信しております。

さて、**本書が目指すのは「タバコのない社会」です。**そのために、ひとりでも多くの方にタバコについての正しい知識・情報を知ってほしいと思っています。そこで、タバコ対策に詳しい医師の田淵貴大《たかひろ》先生と、弁護士の藤原唯人《ただと》先生を交え、3名での対談形式で本書を進めていきます。喫煙を擁護する意見に対しては、法律と医学の観点から真っ向勝負していきたいと思います。

そこで、**第1章では「タバコにまつわる法律」を伝えることによって、タバコをやめてもらうことを目指します。**これまでは、あくまで「マナー」でしかなかった受動喫煙防止が、改正健康増進法によって「ルール」化されました。それでも、法律の詳しい内容までは、なかなか認知されていないのが現状です。まずは第1章を通して、今回の改正健康増進法について正しく理解していただきたいと思います。

また、この法律の施行については「飲食店を禁煙にすると売上が減る」と思い込んで反対している人たちが多くいます。こうした思い込みに対しては、正しいデータや情報を提示することで完全禁煙のメリットを話していきます。さらに、法律に違反して喫煙を許可している飲食店にはどう対応していくべきなのか、など実践的なこともわかるようになっています。

第2章では「タバコによる健康被害」の正しい知識を伝えることによって、タバコをやめてもらうことを目指します。「タバコは身体によくない」と漠然と知っている方は多いと思いますが、タバコがもたらす健康被害をきちんとわかっている方は残念ながら非常に少ないのです。たとえば、タバコの健康被害というと、真っ先に「肺がん」を思い浮かべる方が多いかもしれませんが、実は受動喫煙による死因の1位は肺がんではありません。第2章では、こうしたあまり一般の認知が進んでいないタバコの健康被害について話していきます。

また、今ではアイコス（IQOS）などの加熱式タバコの使用がメジャーになってきています。煙が出なくて、見た目もスタイリッシュ。しかし、こうした好印象とは裏腹に、実は加熱式タバコも数多くの有害物質や発がん物質を含んでおり、全くもって安全ではありません。こうした加熱式タバコの危険性についてもお話ししていきます。

第3章では「タバコを吸うことのダサさ」を伝えることによって、タバコをやめてもらうことを目指します。日本は海外に比べてタバコ対策が非常に遅れています。いつまでもタバコ対策が進まない日本は、諸外国からバカにされているのが現状です。もう、「タバコはダサい」が世界的なスタンダードになっているのです。第3章では、こうした世界と日本の禁煙推進状況の差について実感していただきたいと思います。

また、日本のタバコ対策が進まない要因となっている「日本政府とタバコ産業の構造」についても明らかにしていきます。実は、JT（日本たばこ産業株式会社）は財務省の天下り先となっており、日本の国会議員のなかにはJTから献金を受け取っている人たちがたくさんいるのです。こうしたタバコ会社と国の癒着を明らかにし、さらには、タバコの害を知りながらも、あの手この手を使ってタバコを売り続けようとするJTのマーケティング戦略を暴露します。

これまでタバコの煙を我慢しなければならなかった方々が多かったと思いますが、２０２０年4月1日改正健康増進法の施行をもって、わたしたちはようやく受動喫煙の被害から解放されようとしています。とはいえ、まだまだ社会からタバコが消えるわけではありません。

本書を通して、タバコにまつわる法律を知るとともに、タバコの本当の害や、いかにわたしたちがタバコ会社の思惑によって喫煙を誘導されていたのかに気付いていただきたいと願っています。そして、「タバコのない社会」を目指す同志となっていただければ本望です。

２０２０年3月　永江一石

対談相手のプロフィール

●田淵貴大《たかひろ》

病気や患者個人だけを診るのではなく、社会全体を診る医師。専門は、公衆衛生学、疫学。社会医学系専門医・指導医。人を幸せにするための第一歩として、まずは「タバコのない社会」を実現することを目指す。

●藤原唯人《ただと》

2000年に弁護士登録した直後、当時分煙すらされていなかった地元の兵庫県弁護士会館を禁煙にするべく立ち上がり、弁護士1年生にして2ヶ月ほどで全館禁煙を実現させた実績を持つ。受動喫煙は、セクハラやパワハラと同様に人間関係で生じる重大な人権侵害であるというのが持論。

２０２０年４月１日は受動喫煙からの解放記念日!?：もくじ

第2章 タバコの健康被害を正しく知って、タバコをやめてもらおう！

第3章 今どきタバコなんて「ダサい」から、タバコをやめてもらおう！

第1章

タバコにまつわる法律を正しく知って、タバコをやめてもらおう！

改正健康増進法、わかったつもりの店主が多い…

01

改正健康増進法により無意味な分煙がなくなる

15,000
さて問題です この数字は 何でしょう?
一ヶ月の おこづかい?
正解は…1年間で、受動喫煙が原因で死亡する人の数。(交通事故の5倍!)
そのうち子供はなんと70人以上!
今回の改正健康増進法の基本的な考え方その1、
「望まない受動喫煙」をなくす!
これをわかっていない人が多い!!
…コンビニ入れない

喫煙者は
タバコを吸う権利って
言うけれど…
できもしない分煙で
受動喫煙させられる
身にもなってよね。

永江　今までは、「まえがき」で取り上げたH君のように、自分自身はタバコを吸わなくても、飲食店で喫煙者の人が同席していると、嫌々タバコの煙を我慢しなければならなかった人が多かったと思うんです。でも、２０２０年4月からの改正健康増進法の施行により、全国の飲食店が屋内原則禁煙になります。わたしはもうずっと前から受動喫煙に反対だったので「ようやく」って感じです。

ただ、完全禁煙に反対している飲食店は多く、「まえがき」で取り上げた焼き鳥屋の店主のように「うちは喫煙を許可する」なんて言ってる人もいます。これじゃあ、非喫煙者が肩身の狭い思いをしなくちゃいけない、今までの構造と何も変わらないですよね。

わたしたちやH君のように、受動喫煙反対の人たちにとって、今回の改正健康増進法施行はひとつの武器になると思うのですが、実際どうなのでしょうか？

藤原　今回の改正健康増進法で、**飲食店の店内は原則禁煙**になりましたね。原則として、店内でタバコを吸いながら飲食することができなくなったということです。

永江　ファミレスとかで多い、禁煙席と喫煙席が分かれているだけの無意味な分煙もなくなるということですよね？

藤原　そうです。あの分煙は、席を分けたところで空間がつながっているので、何の意味もありませんからね。プールの半分でおしっこを可能にしたようなもんですよ。「分煙」という言い方がそもそもナンセンスです。改正健康増進法では、**完全に密閉された喫煙室**を作らない限り、喫煙はできなくなりました。この法律に違反して店内で喫煙をさせていた場合、最大で50万円の過料が科せられます。

永江　それは、店側が過料を科せられるということですよね。タバコを吸った個人が罰則を受けることもあるんでしょうか？

藤原　はい。個人の場合でも、喫煙が禁止されている場所でタバコを吸ったり、（あとで紹介しますが）店の出入口に掲示する禁煙・喫煙ポリシーの標識などを汚損したり、紛らわしい標識を掲示したりすると過料が科せられる場合があります。[1]

永江　なるほど。飲食店においては、店側がしっかり禁煙処置をしていればお客さんの喫煙は防げますよね。今まで飲食店によっては、お会計に行く時や、お手洗いに行く時に、喫煙席の真横を通らざるを得ないような店内構造になっていたりして、何の意味もないじゃんって思ってました。実際そういう声も多かったですよ。

田淵　今までの分煙措置では、受動喫煙は防げません。実際、ＷＨＯも「受動喫煙を完全に防止するためには、屋内を完全禁煙とするしかない。喫煙する空間を分けること、空気清浄器や換気扇を用いた空間分煙では、受動喫煙を防止することはできない」と言っています。[2]

ようやく、ファミレスやカフェが全席禁煙になると思うとうれしいですね。

藤原　基本的にはそうですね。ただ、チェーン店のような規模の大きなお店では、店内に完全に密閉された喫煙室を作るところもあるでしょう。

永江　九州をメインに展開しているファミレス「ジョイフル」のウェブサイトには、「このたび、健康増進法に基づく受動喫煙対策として、10店舗の店内に喫煙ブースを設置させていただきます。店内の喫煙ブース設置工事に伴い、対象店舗を一時閉店させていただきます。（略）尚、工事期間中は、近隣の店舗をご利用ください」って書いてありましたよ。

藤原　10店舗もいったん営業停止して、わざわざ工事までして……そこまでして喫煙室を作る必要があるんですかね？　私の入手した見積もりによると、1・5坪の喫煙室（一応法律の要件を満たすとされているもの）を作るには、工事費用と監理費用を含めて初期費用が約200万円かかるんです。これに加えて維持費用が当然かかります。

田淵　しかもこの喫煙室は、風速など結構厳格な基準を満たす喫煙室でないといけません。それに、その基準は今後見直されて変更される可能性もあるので、そのたびに多額の設備投資をする必要が出てきますね。屋内全面禁煙にすれば、こうした心配は不要になります。

藤原　はい。経営者の観点からすれば、さっさと店内を完全禁煙にしてしまうべきだと思いますよ。

永江　ジョイフルは、経営者が穴見陽一議員（自民党の衆議院議員）ですからね。彼はバリバリの喫煙者です。

以前、政府の受動喫煙対策の議論で、とあるがん患者の方が参考人として呼ばれたことがあったんですよ。そこで彼は、受動喫煙の健康被害について真剣に訴えていたんです。彼が「数年経った後にそういったところ（野外の喫煙所）もなくしていくことができればいいんじゃないのかなと個人的には思っている」と言ったところ、穴見議員は彼に向かって「いいかげんにしろ！」とヤジを飛ばしたんです。信じられないですか？

自分がタバコ大好きで、ＪＴから献金をもらってますから、受動喫煙対策法案には猛反対だったんですよね。ですから、ジョイフルについても全席禁煙なんて考えられないいんじゃないですかね。

藤原　なるほどね。とはいえ、今後こうしたファミレスやカフェなどの大手チェーン店については、基本的に全席禁煙になります。タバコを吸う人は必ず喫煙室に行かなくてはいけなくなるわけですから、タバコの煙を気にする必要はなくなります。

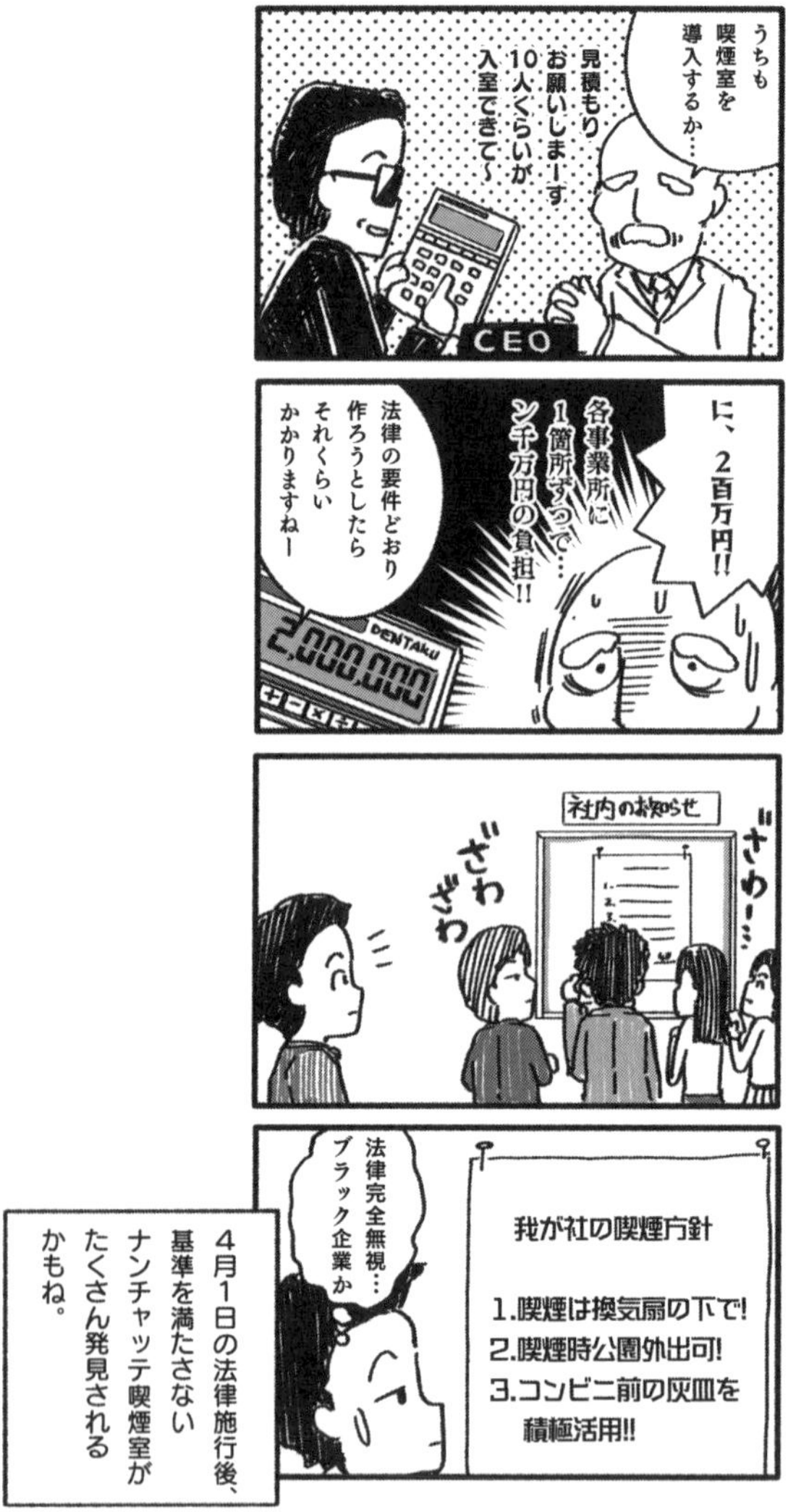
うちも喫煙室を導入するか……
見積もりお願いしまーす
10人くらいが入室できて～
CEO
に、2百万円!!
各事業所に1箇所ずつで…ン千万円の負担!!
法律の要件どおり作ろうとしたらそれくらいかかりますねー
DENTAKU
2,000,000
社内のお知らせ
ざわーっ
ざわざわ
我が社の喫煙方針
1.喫煙は換気扇の下で!
2.喫煙時公園外出可!
3.コンビニ前の灰皿を積極活用!!
法律完全無視…ブラック企業か
4月1日の法律施行後、基準を満たさないナンチャッテ喫煙室がたくさん発見されるかもね。

改正健康増進法ここがポイント①

★改正健康増進法で、多くの建物が原則屋内禁煙へ！

まずはここで、改正健康増進法で原則禁煙になるのは一体どんな場所なのか、簡単にまとめておきましょう。

第一種施設：建物内のみならず敷地内の屋外部分も原則禁煙
子どもや傷病者など受動喫煙により健康を損なうおそれが高い者が主として利用する施設や、公共的性格がある建物

（例）学校、病院、児童福祉施設、介護老人保健施設などの施設、国や地方公共団体の行政機関の庁舎など

第二種施設：原則として屋内禁煙
多数の者が利用する施設（２人以上の者が同時に、または入れ替わり利用する施設）のうち第一種施設以外の建物

（例）飲食店、職場、旅館・ホテル、百貨店、スーパー、コンビニ、映画館、劇場、カラオケボックス、ボウリング場、インターネットカフェ、ゲームセンター、パチンコ、麻雀店、集会場、結婚式場、葬儀場、鉄道等車両、旅客船など

※旅館やホテルの場合、宿泊室内については法律の適用がないため、各旅館やホテルの喫煙・禁煙ポリシーに委ねられることになります。

改正健康増進法を違反した場合、**最大で 50 万円の過料**が科せられます。

★第二種施設においては喫煙可能な喫煙室の設置可能

第二種施設においては、法律の要件を満たす喫煙室「喫煙専用室」もしくは「加熱式タバコ専用喫煙室」の設置 (※1) が可能です。ただし、いずれの場合も次の要件を満たす必要があります。

・「喫煙専用室」「加熱式タバコ専用喫煙室」へは従業員を含む 20 歳未満は立ち入り禁止

・店の出入口のわかりやすいところに、「喫煙専用室」もしくは「加熱式タバコ専用室」を設けている旨を伝える標識を掲示

・「喫煙専用室」「加熱式タバコ専用喫煙室」の出入口のわかりやすいところに、そこが喫煙室である旨と、20 歳未満立ち入り禁止の旨を伝える標識を掲示

※1 喫煙専用室、加熱式タバコ専用喫煙室ともに、設備として以下の要件が求められています。「壁、天井で区画されていること」「出入口で 0.2 m/ s 以上の気流が必要」「タバコ煙が屋外または外部の場所に排気されること」

なお、店舗が複数のフロアに分かれている場合は、特定のフロアを喫煙専用室として扱うことも認められています。ただし、壁や天井で区画を作るなど、禁煙のフロアにタバコ煙が流出しないよう適切な措置をとることが求められます。

・店内に喫煙専用室を作る場合のイメージ

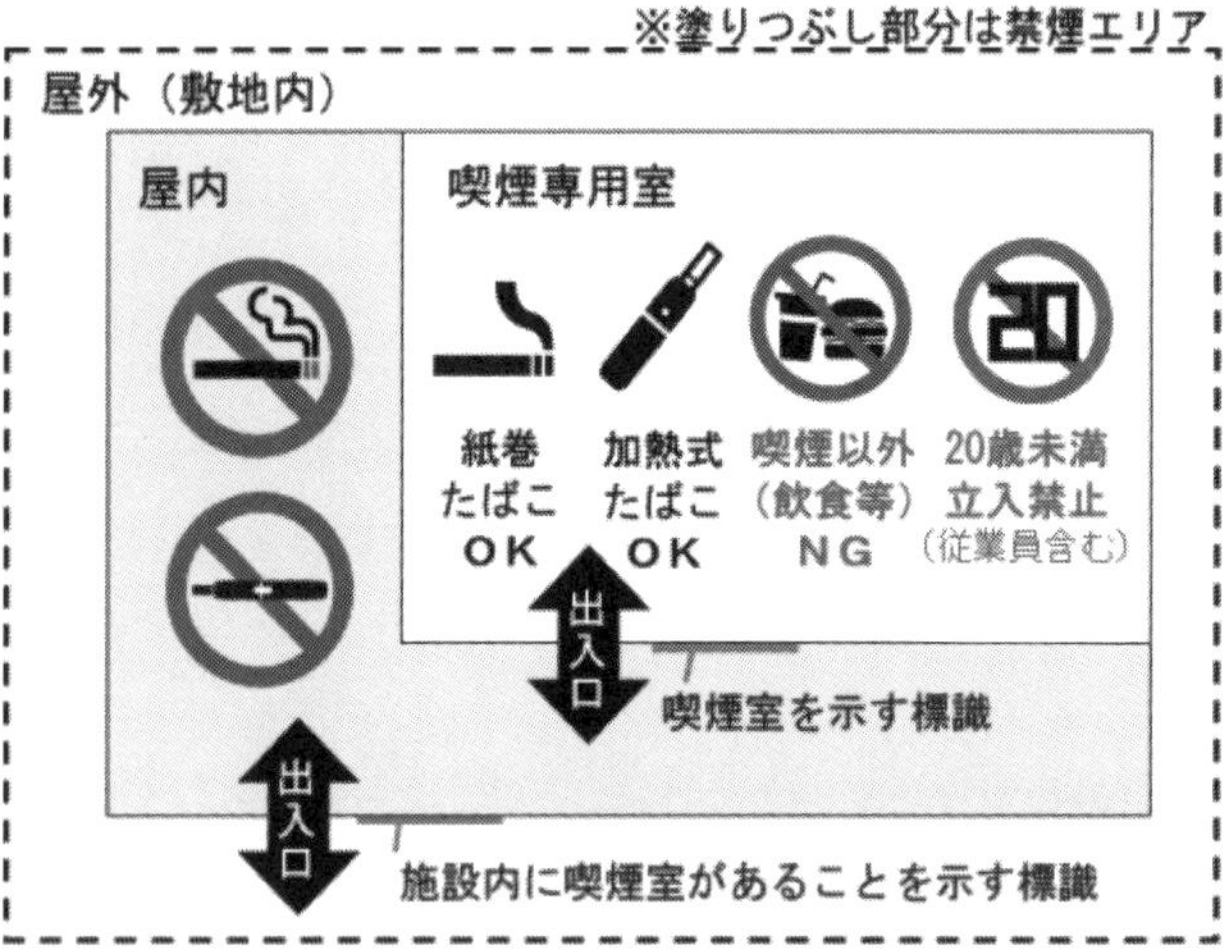

出典：千葉県庁ウェブサイト
https://www.pref.chiba.lg.jp/kenzu/tabako/jyudoukitsuen.html

・店の出入口に掲示する標識サンプル

（店の出入口に掲示）

（喫煙室の出入口に掲示）

出典：厚生労働省ウェブサイト
https://jyudokitsuen.mhlw.go.jp/sign/

・店内に加熱式タバコ専用喫煙室を作る場合のイメージ

出典：千葉県庁ウェブサイト
https://www.pref.chiba.lg.jp/kenzu/tabako/jyudoukitsuen.html

・店の出入口に掲示する標識サンプル

（店の出入口に掲示）

（喫煙室の出入口に掲示）

出典：厚生労働省ウェブサイト
https://jyudokitsuen.mhlw.go.jp/sign/

※兵庫県など一部自治体では加熱式タバコ専用喫煙室は認められていません。

改正健康増進法ここがポイント②

★個人と施設側それぞれの義務内容と義務違反時の対応

改正健康増進法では、わたしたち全ての人と施設側の責任者で、義務内容と義務違反時の対応が異なります。

＊義務内容

【全ての人】
・喫煙場所における喫煙の禁止
・紛らわしい標識の掲示、標識の汚損等の禁止

【施設等の管理権限者等】
・喫煙禁止場所での喫煙器具、設備等の設置の禁止
・喫煙室内へ 20 歳未満の者を立ち入らせないこと　など

＊違反時の罰則

対象者	違反内容	過料額
全ての人	喫煙場所における喫煙	30 万円以下
	紛らわしい標識の掲示、標識の汚損等	50 万円以下
施設等の管理権限者等	喫煙禁止場所への喫煙器具・設備の設置または不撤去	50 万円以下
	各喫煙室における技術的基準の不適合	50 万円以下
	喫煙室設置施設標識の不掲示	50 万円以下
	喫煙室廃止後の標識の不撤去	30 万円以下
	書類の保存不備、虚偽記載（喫煙可能室、喫煙目的室のみ）	20 万円以下
	立入検査・立入調査の妨害忌避等	20 万円以下

※これらは全て、健康増進法で定められている罰則です。その他の、施設等の管理権限者等が喫煙室内へ 20 歳未満を立ち入らせた場合などの罰則については、各都道府県の条例により異なります。

＊義務違反時の対応

義務違反が発覚した場合には、まずは「指導」を行うことで対応されます。改善が見られない場合に罰則（過料）が適用されます（義務違反の内容によっては、「指導」の後に勧告・命令が行われ、それでも改善が見られない場合に罰則が適用されます）。

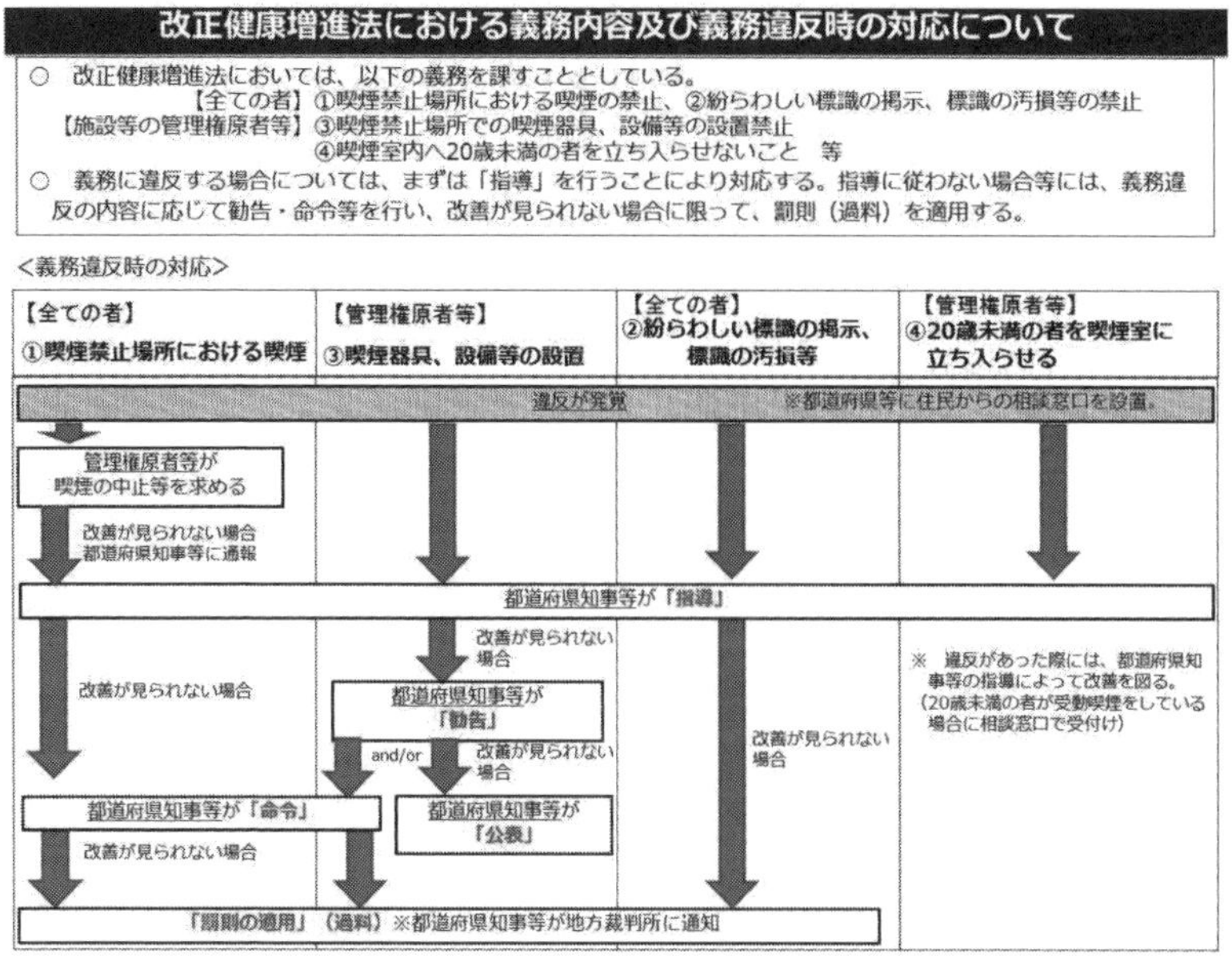
改正健康増進法における義務内容及び義務違反時の対応について
○ 改正健康増進法においては、以下の義務を課すこととしている。
【全ての者】①喫煙禁止場所における喫煙の禁止、②紛らわしい標識の掲示、標識の汚損等の禁止
【施設等の管理権原者等】③喫煙禁止場所での喫煙器具、設備等の設置禁止
④喫煙室内へ20歳未満の者を立ち入らせないこと 等
○ 義務に違反する場合については、まずは「指導」を行うことにより対応する。指導に従わない場合等には、義務違反の内容に応じて勧告・命令等を行い、改善が見られない場合に限って、罰則（過料）を適用する。
<義務違反時の対応>
【全ての者】
①喫煙禁止場所における喫煙
【管理権原者等】
③喫煙器具、設備等の設置
【全ての者】
②紛らわしい標識の掲示、標識の汚損等
【管理権原者等】
④20歳未満の者を喫煙室に立ち入らせる
違反が発覚
※都道府県等に住民からの相談窓口を設置。
管理権原者等が喫煙の中止等を求める
改善が見られない場合
都道府県知事等に通報
都道府県知事等が「指導」
改善が見られない場合
改善が見られない場合
都道府県知事等が「勧告」
and/or
改善が見られない場合
改善が見られない場合
※ 違反があった際には、都道府県知事等の指導によって改善を図る。
（20歳未満の者が受動喫煙をしている場合に相談窓口で受付け）
都道府県知事等が「命令」
都道府県知事等が「公表」
改善が見られない場合
「罰則の適用」（過料）※都道府県知事等が地方裁判所に通知

出典：厚生労働省ウェブサイト
https://www.mhlw.go.jp/stf/seisakunitsuite/bunya/0000189195.html

02

注意が必要なのは小規模の飲食店

うちは、ルールが変わる前から営業している小さなお店なので、店内のタバコもOKにしているのよ。
この看板、お店の入り口に貼っとくよ
UNDER 20
喫煙可能店
Smoking area
20歳未満立入禁止
UNDER 20
やめて！20歳未満お断りだなんてそんなアダルトショップみたいな表示！
!?
ドドーン
これだけ貼ろう♪
…それ、法律違反
喫煙可能店
Smoking area

全国の飲食店経営者は、改正健康増進法をちゃんと知っておかないと最高50万円の過料が科せられるかも。

永江　問題は、「まえがき」で書いた焼き鳥屋のような小さなお店ですよね。こういう小さなお店は、改正健康増進法の詳細をきちんと理解していない人も多くて、「うちはお客さんがタバコ吸いたいなら吸わせるよ」なんて言ってますから。

藤原　法律の詳細については、本当に認知が進んでいませんよね。既存の小規模な飲食店[3]については、経過措置として、店内の一部もしくは全部を、紙巻タバコを吸いながら飲食可能な**「喫煙可能室」**とすることができます。つまり従来の喫煙店と同じように、タバコを吸いながら飲食可能という形態が認められます。いくら法律が施行されるとはいえ、いきなり全てを変えるのは既存の飲食店にとって過酷な点もあるだろう、ということで、このような経過措置があるわけです。

ただし、この経過措置として店内で喫煙を許可する場合には、お店の出入口のわかりやすいところに、「喫煙可能であること」と「20歳未満立ち入り禁止」だということがわかる標識を掲示しなければならないんです。[4] そして、**重要なのは、「喫煙可能であること」と「20歳未満立ち入り禁止」だということ。お店の出入口のわかりやすいところに掲示する**ということです。

図表1‐1に、厚生労働省作成の標識サンプルを示しますね。

永江　これまでは、「お店に入って料理を注文してから喫煙店だったと気付いた。注文してしまったから今さら出づらい……」という思いをした人も多かったと思うんですよ。でもこれからは、**お店に入る前に「ここは喫煙店だ」とわかる**ようになります。なので、非喫煙者の9割くらいは、喫煙店に間違って入ることはなくなるでしょうね。

藤原　そういうことです。ちなみに、20歳未満を立ち入り禁止にしているのは、**未成年者を受動喫煙の害から守ろう**という意図ですね。

図表 1-1「喫煙可能室」の標識例

UNDER 20
喫煙可能室
Smoking room
20歳未満の方は立ち入れません。
「喫煙」には、加熱式たばこを吸うことが含まれます。

出典：厚生労働省ウェブサイト
https://www.mhlw.go.jp/stf/seisakunitsuite/bunya/0000189195.html

永江　20歳未満のお客さんを断らないといけないなんて、もうアダルトショップと同じ扱いですよね（笑）ファミリー層のお客さんが入れなくなっちゃうからお客さんの数は減りそうですし、お店の入口にそんな掲示するくらいなら禁煙にしたほうが絶対にいい。

藤原　もう小規模の飲食店としては、**店内を禁煙にするのか、**それとも**20歳未満立ち入り禁止の標識を出入口に掲げて、20歳未満立ち入り禁止にしてまで喫煙可能にするのか、**究極の選択を迫られることになりますね。

ただ、ほんの少しだけ、さっきの焼き鳥屋の店主の肩を持つとすれば、今回の改正健康増進法って、経過措置とかその条件とかややこしいところが多くて、内容を正確に把握するのが難しいというのはあります。

そのややこしさを逆手に取っているのかどうかは知りませんけど、ＪＴ（日本たばこ産業株式会社）は、この法律について誤った情報を流していたんです。

永江　どういうことでしょう？

図表 1-2　JT の広告

出典：日本たばこ産業株式会社ウェブサイト
https://www.jti.co.jp/tobacco/vision/07/

藤原　図表1‐2は、JTによる改正健康増進法についての車内吊り広告です。お店の形態と、出入口に掲示しなければならない標識、そのルールなどについてまとめられているんですが……右から2番目のおばあちゃんのところをよく見てください。

先ほども述べましたが、小規模の飲食店が喫煙を許可する場合には「喫煙可能であること」と「20歳未満立ち入り禁止」という掲示をしなければならないんです。でも、ここには「20歳未満立ち入り禁止」の表記がありません。

田淵　本当ですね！

図表 1-3　JT の広告の一部

うちは、ルールが
変わる前から営業している
小さなお店*なので、
店内のたばこも
OKにしているのよ。
喫煙可能店
※客席面積100㎡以下かつ
資本金5,000万円以下

出典：日本たばこ産業株式会社ウェブサイト
https://www.jti.co.jp/tobacco/vision/07/

藤原　左の「２０２０年４月から、飲食店でのたばこのルールはこう変わる。」というタイトルの下に「店内は原則禁煙に。喫煙は、これらの標識を掲げるお店に限られます。」とあるのですが、**「20歳未満立ち入り禁止」であることを掲示しなくてはいけない**という大切なポイントが抜け落ちてしまっているのです。だから、飲食店主がこの車内吊り広告を信じてこのとおりの掲示を行うと、改正健康増進法違反になってしまいます。「20歳未満立ち入り禁止」の掲示義務の点を意図的に落としているなら正直あくどいと思いますし、意図的じゃなかったら単なる無知ということになります。

田淵　意図的だとしたらあくどいですね！

藤原　全くです。しかも、吊り広告の左下のほうをよく見ると、すごく小さな字で「20歳未満の方は、喫煙を目的としない場合でも、喫煙エリアへは立入禁止となります。」って書いてあるんですよ。

田淵　仮にクレームが来ても、「いやいや、ここにちゃんと書いてありますよ」って逃げ切るつもりなんでしょうね！

藤原　とはいえ、「20歳未満立ち入り禁止」の掲示をしなくてはいけないという重要な点を外していることに変わりはありませんけどね。

永江　こんなの、虫眼鏡でも使わなくちゃ読めない大きさですよ！　わたし、それを藤原先生から聞いて、Twitterで「JTは『20歳未満立ち入り禁止』の表示を消している」ってツイートしましたよ！

図表 1-3　JT の広告の一部

出典：日本たばこ産業株式会社ウェブサイト
https://www.jti.co.jp/tobacco/vision/07/

藤原　そうそう、あのツイートすごくバズってましたよね。そのせいかどうかわかりませんけど、後日ＪＴが車内吊り広告と同じテーマの動画（アニメ）を作ってくれたんですよ。だから早速見てみたんですけど、そのキャプチャがこれです。右から２番目の扉をよく見てみてください。

永江　これは、またもや虫眼鏡が必要なのでは（笑）

藤原　おっしゃるとおりです（笑）拡大になったシーンをよく見てみると、次のような表示がありました。

図表1-5　JTの動画の一部
「喫煙可能店」の標識例

出典：日本たばこ産業株式会社ウェブサイト
https://www.jti.co.jp/tobacco/vision/07/

永江　小さすぎる……。しかもこれ、ただのピクトグラム（文字の代わりに視覚的な図で表現したサイン）ですよね？

藤原　そうなんですよ。20という数字がかろうじて読めるので、20歳未満立ち入り禁止の旨を掲示したつもりになっているんでしょうね。改正健康増進法では店の出入口に「20歳未満の立ち入りが禁止されている旨」の掲示義務があると言われているのに、このピクトグラムがその旨を伝えていると解釈するのは無理がある気がします。

永江　うん、これはあくどすぎますね……。

藤原　ちなみに、**標識の掲示場所については、飲食店の「出入口の見やすい場所」と定め**

られているんですよね。というのは、この標識の意義が、飲食店に来るお客さんに対して、仮にそのお店が喫煙可能店であれば「事前にその旨を告知できる」「20歳未満を受動喫煙の被害から守れる」ということですから。

永江　そうですよね。ちなみに、標識の大きさの規定はないんですか？

藤原　大きさの規定はありません。ただ、先ほどの標識の意義を果たすためにも、つまり来店者が事前に喫煙可能なお店かどうかの情報を得られるようにするためにも、一目して内容がわかる大きさのものを掲示するべきですね。ちなみに、私が先ほどあげた図表１‐１の標識は、厚生労働省がウェブサイトに載せているサンプルですから、これを使うのが一番わかりやすいかと思います。

田淵　なるほど……。今回の車内吊り広告の件から、「お店の出入口に、20歳未満立ち入り禁止の標識を掲示しなければならない」ということが、ＪＴにとってもっとも周知されてほしくないことなんだ、とよくわかります（笑）

藤原　そうなんです。それはルールであり広く知らされるべきことなんですけどね。先ほど述べたように、既存の小規模の飲食店としては、**店内を禁煙にするのか、**それとも**出入口に「20歳未満立ち入り禁止」の標識を出して、20歳未満を閉め出してまでお客の喫煙を認めるか**の二択を迫られるというわけです。

永江　その二択のうちどちらを選ぶべきかは自明ですね。

藤原　そう思います。あと、この経過措置はあくまで2020年4月1日時点で現に存在する小規模飲食店のための例外措置です。それ以降に開業した飲食店は、従来のような紙巻タバコを吸いながら飲食をするという形態は一切認められなくなりました。飲食店は回転が早いと言われていますから、喫煙可能なお店はどんどん少なくなっていくでしょうね。

「望まない受動喫煙」をなくすのが、この改正健康増進法の基本的なめんどくさいルールだなんて言語道断。

改正健康増進法ここがポイント③

★飲食店にのみ許されている経過措置に注意

飲食店については、既存、かつ小規模のお店 (※1) に限り、経過措置として「喫煙可能室（飲食可)」の設置が認められています。つまり、今後紙巻タバコを吸いながら飲食することが可能なのは「喫煙可能室」を設けている飲食店のみになります。ただし、次の要件を満たす必要があります。

・「喫煙可能室」へは従業員を含む 20 歳未満は立ち入り禁止

・店の出入口のわかりやすいところに「喫煙可能室」である旨と、20 歳未満立ち入り禁止の旨を伝える標識を掲示

※1 「既存、かつ小規模のお店」とは、より具体的には以下の条件を満たす飲食店のこと。「改正健康増進法施行日（２０２０年４月１日）時点で現に存在していること」「資本金５０００万円超の会社が経営しているものではないこと」「客席の床面積が 100 平方メートル以下であること」

よって、改正健康増進法施行日（２０２０年４月１日）以降は、紙巻タバコを吸いながら飲食可能な飲食店は新規開店できません。

・店内に喫煙可能室を作る場合のイメージ

店の出入口に
掲示する
20歳
未満

・店の出入口に掲示する標識サンプル

UNDER
20
喫煙可能室
Smoking room
20歳未満の方は立ち入れません。
「喫煙」には、加熱式たばこを吸うことが含まれます。

（店の出入口に掲示）

出典：厚生労働省ウェブサイト
https://jyudokitsuen.mhlw.go.jp/sign/

※店内の一部のみを喫煙可能室とすることも可能です。ただしその場合、間仕切りについて、喫煙専用室や加熱式タバコ専用喫煙室と同様の設備要件を満たす必要があります。

※東京都、秋田県、千葉市では、条例により、年齢を問わず従業員を雇用している場合「喫煙可能室」を設置することができません（同居の親族や家事使用人は除く）。
　また大阪府では、２０２２年４月施行の条例により、従業員を雇用する飲食店は、客席面積にかかわらず原則屋内禁煙に努めることが求められるようになります。

※兵庫県では、20 歳未満のみならず妊婦も喫煙可能室への立ち入りが禁止されており、20 歳未満と妊婦が立ち入り禁止であることを掲示する必要があります。

03

「分煙で十分だろう」は、従業員のことを考えていない時点でアウト

4月からは原則屋内禁煙に。喫煙可能エリアは20歳未満立ち入り禁止、従業員も対象です。

永江　喫煙室への20歳未満立ち入り禁止ということは、20歳未満の従業員も入ることができないんですよね？

藤原　もちろんそうです。お店が「喫煙専用室」や「加熱式タバコ専用喫煙室」を設けていた場合、20歳未満の従業員がその中に入って接客をしたり片づけをしたりすることはできません。

また、店全体を「喫煙可能室」としている場合には、そもそも20歳未満の従業員をホールスタッフとして雇うことができません。高校生のアルバイトなんて一律ダメになります。従業員にとって飲食店は「職場」。通常のオフィス勤務の方々と同様、**飲食店勤務の方々も職場における受動喫煙から保護されるべき**、ということです。

永江　そりゃそうですよね。今回の受動喫煙対策、「分煙で十分なんじゃないか」という意見が多くありましたが、これって従業員のことを考えていない時点でアウト。タバコを吸っているお客さんと接したり、喫煙席で片づけをしたりする従業員のことを考えられていないっていう。

藤原　おっしゃるとおりです。実際、東京都、秋田県、千葉市においては、改正健康増進法だけでなく条例で要件を加重し、お店で従業員を雇っている場合は基本的に完全禁煙にしなければならない、と定めています。[5] この時、従業員の年齢は問いません。たとえ既存の小規模なお店であっても経過措置は受けられず、喫煙可能にできないわけです。

永江　「従業員には受動喫煙させてもいい」なんて考え、どこのブラック企業だよって感じですよね。

藤原　そうですよね。そういえば、前大阪府知事の松井一郎さんが、議会の休憩時間中に公用車に乗ってタバコを吸っていて問題になったことがありましたよね。あの時も、運転職員に受動喫煙させているっていう非難の声があがりました。

永江　ありましたね。本人は「窓を開けるなどして、マナーを守って喫煙している」とか言ってましたけど。窓を開けたところで受動喫煙は防げませんから「この人何言ってるの？」って感じでしたね。

藤原　これはもう、職場における人権侵害だと思います。

田淵　受動喫煙の観点で言うと、車内の喫煙は本当によくないですね。車内ってすごく狭い空間なので、タバコの煙があっという間に充満してしまう。受動喫煙の害は、他の場所の比にならないと思いますよ。

永江　たしかにそうですね。狭い空間での喫煙こそやめたほうがいい。

田淵　そうです。小規模の飲食店は、経過措置で喫煙可能にできることになっています。でも、狭い場所ほど受動喫煙の害が大きいわけですから、小規模の飲食店こそ禁煙にすべきなんです。

永江　おじいちゃんとおばあちゃんが夫婦で経営しているような小さなお店、結構ありますよね。おばあちゃん自身はタバコ吸わなくても、おじいちゃん含め昔からのなじみのお客さんがタバコ吸うからって、喫煙可にしているようなところは多いと思います。

田淵　おばあちゃんは、自分がタバコ吸っていなくても受動喫煙しまくりですから、ある時それが原因で死んでしまうケースが起きていると思います。

永江　そうですよね。でも、受動喫煙で人が死ぬってこと、わかってない人が本当に多いんですよ。もうね、みんなにちゃんと知ってほしいです、**受動喫煙が原因で亡くなる人が年間1万5000人もいる**ってこと。

藤原　数字だけ言われてもピンとこない人がいるかもしれませんが、年間1万5000人って、**交通事故での死亡者数の5倍**ですからね。本当にひどい。

永江　うん、これって本当にひどい数字なんですよ。ただね、タバコってその有害性がなかなか目に見えないから実感しづらいというのはあります。たとえば、熱が出た時なんかは、体温計で計ることで「38℃」とかって数値が出てくれるから、「これは休んだほうがいいな」って思えるじゃないですか。でも、タバコの場合は「なんかクサいな」と思っても、それがどれくらいヤバいのかはよくわからない。タバコの煙についても、何か指標になるデータとかないんでしょうか？

田淵　そうですね。ひとつわかりやすいものに、閉め切ったガレージの中でタバコに火をつけて、吸入性浮遊粉塵《じん》（大気に浮遊する粒子のうち、大きさが10マイクログラム以下のもの）のレベルを調査した研究があります。[6]この研究では、閉め切ったガレージで3本のタバコに30分ごとに1本ずつ火をつけた場合の吸入性浮遊粉塵のレベルが、同じガレージでディーゼルエンジンを30分間ふかした場合のレベルより10倍も高くなるということが認められました。

永江　え、想像しただけですぐ死にそうですね……。

田淵　ちなみに、皆さんがよく聞いたことがあるであろうPM2・5の濃度を計った研究もありますね。屋内で3人が喫煙しているレストランなどでは、PM2・5濃度が600マイクログラム／立方メートル程度になるのですが、これって大気汚染の緊急事態レベル濃度500マイクログラム／立方メートルよりも高い数値なんです。

永江　それヤバくないですか⁉　屋内での喫煙は、大気汚染の緊急事態レベルにすぐに到達するってことですよね。

田淵　えぇ、ヤバいですよ。そういえば先ほど、車内での喫煙は狭いから余計に危ないってお話ししましたよね？　喫煙する車内では、PM2・5の1時間平均値が750マイクログラム／立方メートルという非常に高い値になるんです。

永江　うわ、恐ろしいですね。それだけ汚染されてたら、室内や車内のタバコの有害物質も、そう簡単には消えませんよね？

田淵　そうですね。タバコの煙それ自体は消えたように見えても、室内の場合はカーテンや壁紙に煙の成分が付着して残っています。ちなみに、これらが汚染源となってタバコの有害物質にさらされることを「サード・ハンド・スモーク（三次喫煙）」と言います。

永江　やっぱり、煙が染み込んでいるとなかなか消えないんですね。わたしね、新居なのにタバコアレルギーが出ちゃった人の事例を知ってるんですけど——とあるタバコアレルギーの方が家を建てる時に、あらかじめ工務店と「タバコを吸っている人には作業をさせない」って契約をしておいたんですって。でも、いざ完成してみるとタバコアレルギーが出ちゃったらしく、裁判になったそうですよ。全部調べたら、（おそらく大工さんたちでしょうけど）タバコを吸った痕跡があったらしくて、工務店側は裁判で負け。一軒まるまる建て直ししたらしいです。

藤原　たとえ臭いを消せたとしても、有害物質は残り続けてるんですよね。

奈良県生駒市の市役所では、受動喫煙対策として2018年4月から、喫煙した職員は「喫煙後45分間は、エレベーターの利用を禁止」にしたそうですよ。これもサード・ハンド・スモーク対策です。

永江　喫煙後は、本人の服や息などにタバコ成分がしばらく残っている、ということですね。

田淵　そうですね。喫煙後の呼気には、ガス状物質（ＴＶＯＣ）が含まれています。受動喫煙問題に詳しい、産業医科大学の大和浩教授によると、ＴＶＯＣは喫煙終了後も出続けているそうで、通常レベルに戻るまでには45分間程度かかるそうです。[7]

永江　先日、朝日新聞の記事で見かけましたが、禁煙の映画館であっても、館内は喫煙者の服や身体に付着して持ち込まれた有害物質が充満しているそうで……。

田淵　アメリカとドイツの研究グループが、調査報告を発表していましたね。２０１７年1月、ドイツの映画館の1室（１３００立方メートル）で室内の空気を分析したんです。24時間連続で週末の計４日間、有機物質35種類の濃度を測定したところ、観客が入場するたびに、アセトニトリルやアルデヒドなどの有害物質の濃度が急上昇したそうです。

これはサード・ハンド・スモークで検出されたわけですが、この有害物質の濃度を受動喫煙の濃度に置き換えると、ホルムアルデヒドはタバコ1本分、ナフタレンは10本分に相当するとのことです。

永江　大人の鑑賞者の割合が高い、夜の時間帯で特に濃度が高かったそうですね。

田淵　はい。また、大気汚染の研究をする聖路加国際大学大学院の大西一成准教授は「完全禁煙の空間であっても、有害物質が受動喫煙と同等レベルの濃度まで上がり、三次喫煙が起こりうると示された。禁煙の場所も、これまで以上に、換気設備について考えていかなければならない」と言っているそうです。

藤原　換気はもちろん大切です。ただ、奈良県生駒市の市役所の取り組みのように、タバコを吸った人が密閉された空間に入る時には、一定時間あけることも必要でしょうね。

田淵　そうですね。サード・ハンド・スモークは、10年以上経っても残っていたという研究結果があるほどです。冗談のような話になりますが、タバコを吸っていた屋内には何年経っても帰れないということになるのでしょうか。

過去に誤ってホテルの喫煙可の部屋に宿泊した時は、サード・ハンド・スモークの影響で頭痛が続いて気分不良になり、ほとんど眠れず、のどもイガイガして、大変な目にあいました。あれは大失敗でした。

04

肺がんよりも恐ろしい、受動喫煙による死亡理由

タバコの健康リスク？

わかってるよ、肺がんになる可能性が高いって言いたいんでしょ？

なるときゃなるし一生ならない人もいるし…

自己責任で吸ってるから好きにさせてってね♪

…去年、タバコを吸わない母が脳梗塞で倒れました。経営していた店は喫煙可能でした…。

去年の検診で乳がんだと…夫が喫煙者で…

タバコを吸うのはご本人の勝手…

けど…どうして吸わない私たちが害にあわないといけないの!?


もはや、タバコを吸う人だけの問題ではない…。社会は変わったことをわたしたちは知るべき。

図表 1-6　受動喫煙による年間死亡数推計値

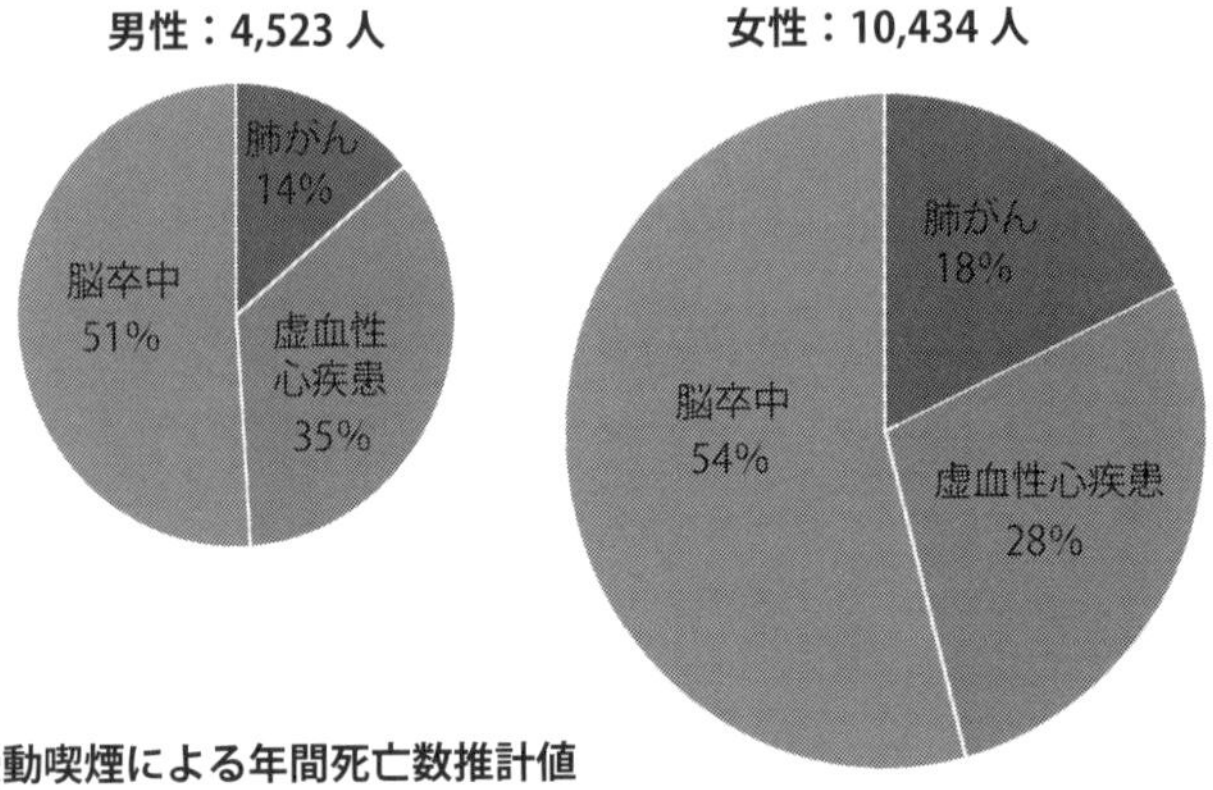
男性：4,523 人
肺がん
14%
脳卒中
51%
虚血性
心疾患
35%
女性：10,434 人
肺がん
18%
脳卒中
54%
虚血性心疾患
28%

受動喫煙による年間死亡数推計値
肺がん 2,484 人、虚血性心疾患 4,459 人、脳卒中 8,014 人、
乳幼児突然死症候群 73 人　**合計で約 1 万 5,000 人**

出典：国立がん研究センターがん対策情報センター 片野田耕太氏作成資料 を元に著者が作成
https://www.mhlw.go.jp/file/06-Seisakujouhou-10900000-Kenkoukyoku/0000130674.pdf

永江　それから、田淵先生に詳しくお話ししていただきたいのですが、受動喫煙による死亡理由で一番多いのって、肺がんじゃなくて「脳卒中」なんですよね？

田淵　はい、そうですね。「タバコの健康被害＝肺がん」だと思っている人が多いと思うんですが、**受動喫煙での死亡理由で一番多いのが脳卒中、次に虚血性心疾患（心筋梗塞など）、それよりも少ないのが肺がんです。**脳卒中も虚血性心疾患も、いわゆる循環器系の病気です。

永江　図表１‐６のグラフによると、80％以上の方が循環器系の病気で亡くなっているということですね。

田淵　はい。「タバコの健康被害＝肺がんだけ」という認識だと、タバコの有害性を過小評価することになってしまいます。タバコは発がん性物質だけでなく、数多くの有害物質を含んでいて、循環器系の障害を起こす物質もあります。動脈硬化をもたらし、脳卒中や虚血性心疾患を引き起こす危険があるんです。

永江　脳卒中とか心筋梗塞って、ある日突然に発作を起こして亡くなるイメージがありますが……。

田淵　そのとおりです。喫煙者本人にも害なのですが、非喫煙者にも危ないんですよね。非喫煙者がタバコの煙を吸った瞬間、血圧が急上昇して、脳卒中を起こして死んでしまう、という可能性もあるんです。

永江　それってたとえば、なじみのお店でタバコを吸ってたら、お店のおばあちゃんが脳卒中を引き起こして目の前で死んでしまった……なんてことがあり得ますよね？

田淵　あり得るというか、日本メディアが報道しないだけで、実際にはそういう事態がものすごい件数起こっていると思いますよ。

永江　なじみの店のおばあちゃんを殺したのは自分だったかもしれない……と思ったら恐ろしいですね。肺がんで亡くなる場合は、これまでのタバコの煙の蓄積が原因だろうから、たとえおばあちゃんが亡くなっても罪悪感は抱きにくいかもしれませんけど、目の前でショック死したとなると、その場でタバコを吸っていた自分が原因である可能性が一気に上がる……。

藤原　それは恐ろしすぎて、きっと現実として直視できないですよね。

改正健康増進法の例外で、
小規模の店は喫煙可。
でも狭い空間ほど、
タバコの害は大きい。
よく行くお店の店主が
急にこの世を去ったら、
原因はあなたのタバコ…かも。

Q1 飲食店のテラス席も禁煙になるのですか？

屋外については、原則的に禁煙にしなくてはいけないという規制はありません。しかし、喫煙可能にする場合、出入口や道路の近くを避けるなど、受動喫煙が生じないように配慮しなければならないとされています。

自治体によっては、出入口など人が通らざるを得ない場所に灰皿などを置かないなど、必要な措置を講ずることを義務づける条例もあります。

ちなみに、屋内と屋外の区別については、厚生労働省が次のような基準を定めています。

屋内＝「屋根がある建物」かつ「側壁が概ね半分以上覆われているものの内部」で

あり、それ以外が「屋外」ということになります。

Q2 ランチタイムのみ禁煙、夜は喫煙可といったケースはどうなりますか？

一日のうち、一部でも喫煙可とした場合「喫煙可能室」を設置したものとして扱われることになります。つまり、ランチタイムの時間帯も含めて一日中、店の出入口には**「喫煙可能室であり、20歳未満は立ち入り禁止」**の標識を掲示しなければなりません。

これは、たとえば休日のみ禁煙とし、平日は喫煙可とする場合も同様です。

05

受動喫煙で訴えることはできるのか

タバコくらいいいじゃん
おれたちはマナー守ってるんだし。
タバコは文化だ！
個人の楽しみを奪うな！
いつまでたっても無くならない歩きタバコ、ポイ捨て。どこでも構わず吸う喫煙者…
だいたいなぜ無関係な非喫煙者が有害な煙を吸わされるのか…
マナーが守られていない！だからルール化されたのです！
それが今回の改正健康増進法。

昔の映画を今見ると喫煙シーンがとても多くてびっくり。時代と共に、人々の意識も進むということ。

永江　わたしのフォロワーさんでね、喘息持ちの人がいるんですよ。タバコの煙を吸うと倒れちゃうレベルのタバコアレルギーなんですよね。それで、彼女が外を歩いてる時に、タバコの煙をふっかけられて、意識失って救急車で運ばれたことがあったんですって。こういう場合って、傷害罪で訴えることはできないんでしょうか？

藤原　それは、刑事責任ということで考えると傷害罪ですね。ただ、やった人に故意があるかどうかが問題になると思うんですよ。だって、世の中の人間がみんな彼女みたいに、煙ふっかけられて倒れるわけじゃないので。相手がタバコアレルギーだってわかっていて、「よし、こいつを倒してやろう」っていう故意があったなら傷害罪になるでしょうけど。

永江　まあ、警察は社会的にすごくコンセンサスがないとあげてくれないですよね。

藤原　そうですね。ちなみに、民事で訴えるという場合もあり得ます。たとえば直接的な加害者である喫煙者、もしくは喫煙を許している職場を訴えるっていうケースですね。

今の日本ではこちらのケースは蓄積されつつあります。

永江　民事で訴えたとしたら勝てるんですか？

藤原　職場における受動喫煙被害について職場を訴えて勝訴したケース、または勝訴的和解をしたケースはいろいろあるようです。

永江　アメリカでは、タバコ会社を実際に訴えて勝訴した例があると聞きましたけど。

藤原　そうですね、アメリカで勝った判例はあります。アメリカは、集団訴訟制度があるので大規模訴訟を起こしやすいんですよね。日本の場合、基本的に一人ひとりが個人で訴訟を起こさなくちゃならない。

永江　でも、日本にも集団訴訟制度がありましたよね？

藤原　はい。でも性質が少し違うんです。アメリカの集団訴訟は「一部の被害者が全体を代表して訴訟を起こす」という性質を持っているんですね。どういうことかというと、被害者側にいる消費者は、「自分は集団訴訟に参加しない」と意思表示をしない限り、強制的に集団訴訟に加わることになるんです。
一方、日本の集団訴訟にはこのような性質がありません。日本で集団訴訟を起こすには、同じ被害を被っている消費者を一人ひとり集めて、全員の同意を得て、原告団を立ち上げなければいけない。

永江　手間がかかるから、集団訴訟は起こしにくいということですね。

藤原　そうです。アメリカが勝った判例では、「タバコによる医療費増をめぐり、39州がタバコ関連産業各社に対し、損害賠償請求訴訟を起こした」とあるんですよ。

永江　たしかに規模がすごく大きい。

田渕　わたしの友人の弁護士さんは、日本でも受動喫煙で訴えたいと思ってる人たちを募集していますね。ただ、訴えるには、受動喫煙だけを受けて害にあったということを証明しないといけない。状況証拠をちゃんと得られるような人を集められたらいいですけど、なかなか大変そうです。

藤原　日本は難しいと思いますよ。それからアメリカと日本では、賠償額にかなり差があるのも大きいでしょうね。アメリカって、懲罰的損害賠償といって賠償額で天文学的な数字が認められるので、弁護士も職業としてペイするんです。さっきのアメリカの訴訟も、和解金については「メーカー側が今後25年間に総額3685億ドル（約42兆円）の和解金を支払う」となってるんですよ。まあ、そのお金は、州政府や他の訴訟の原告への支払い、禁煙教育の資金とするようなんですけどね。でも、こうした高額な賠償額があり得るなら、弁護士も職業的にペイしますから。

永江　たしかに、勝てたら弁護士さん大儲けですもんね（笑）

藤原　そうそう（笑）

永江　じゃあ、こんな危険なタバコ販売をしてる「国」を訴えるっていうのはダメなんでしょうか？　厚生労働省だって、これだけタバコに害があるって言っているのに、国はその害を知ったうえで平気で販売させてるわけじゃないですか。

藤原　それは筋としてありますが……。

田淵　まあ、国を訴えても勝てないから、っていうのはありますよね。

藤原　そうですね。国をあまり負けさせないっていうのが、日本の裁判所の残念なところですからね。

永江　門前払いされます？

藤原　いえ、門前払いはしないですし、ちゃんと判決まで書いてくれるとは思います。経験上のことしか言えませんけど、国を相手に勝つっていうのは、ちょっとやればできるようなことではないですね。

田淵　簡単なこととは思いませんが、いつか実現させてほしいと思いますね。

06

法律違反している飲食店にはどう対応するべきか

店主の認知が進まないなら、客のあなたが注意しよう。お店は注意してもらえるだけでもありがたいと思わなくちゃね。

永江　話を飲食店に戻しまして……。２０２０年4月1日以降、健康増進法を守っていない飲食店を見つけた場合、わたしたちはどのように行動するのがいいんですかね？

藤原　改正健康増進法の内容自体をきちんと理解していないお店も多いでしょうから、ひとまず**飲食店側に「法律違反になってますよ」ってことを伝えてあげる**べきでしょうね。

永江　客側でできることをしていく、ということですね。

藤原　本来であれば行政が取り締まるべきではありますが、実際問題として、数多い飲食店について行政側が全ての情報を収集して、さらに取り締まるというのは難しいですからね。それに、単純に法律を知らないだけかもしれないので、注意を促すことで改善してくれる可能性が高いと思います。

喫煙可能だと20歳未満が立ち入れないので、20歳未満のお子さんがいる人は、「禁煙にしてくれないと家族でお店に来られなくなる」とお伝えください。職場に20歳未満の人がいるなら「職場の仲間でお店に来られなくなる」と。

たとえば次のページの図表１‐７の用紙にチェックを入れてお見せしてもいいと思いますよ。

※図表１‐７の用紙はこちらのＵＲＬからダウンロードできます。
https://petite-lettre.com/files/nosmonking/CheckList.pdf

図表 1-7　健康増進法に違反している飲食店に提示する用紙

あなたのお店は以下の点で**健康増進法に違反しているおそれがあります。**
健康増進法違反には最大で **50 万円の過料**の罰則があります。
改善をお願いします。

□　店内で喫煙しながら飲食可の場所があるのに、**そのことを記載した標識**が飲食店出入口に表示されていません
（健康増進法 33 条 3 項，35 条 3 項，附則 2 条 1 項，3 条 1 項）

□　店内で喫煙しながら飲食可であるのに、**20 歳未満**立入禁止の**標識**が喫煙エリア出入口に表示されていません
（健康増進法 33 条 2 項，35 条 2 項，附則 2 条 1 項，3 条 1 項）

□　店内で喫煙しながら飲食可であるのに、**広告宣伝**でその旨が示されていません（健康増進法 35 条 8 項，附則 2 条 4 項，3 条 2 項）

□　**経過措置が受けられない**飲食店であるのに（規模が大きい飲食店である、または、2020 年 4 月 1 日以降の開業である）、喫煙しながら飲食がなされています（健康増進法附則 2 条 2 項）

□　店内の喫煙可のエリアに **20 歳未満**がいます
（健康増進法 33 条 5 項，35 条 7 項，附則 2 条 1 項，3 条 1 項）

□　喫煙エリアの**間仕切りが不十分**です
（健康増進法 33 条 4 項，35 条 5 項，附則 2 条 1 項，3 条 1 項）

出典：著者作成

藤原　「いろいろ面倒くさいなあ」と言われたら、「禁煙にしたら面倒くさいことは全てなくなりますよ」と教えてあげてください。

永江　もし、注意しても改善されなかった場合、わたしたちが通報するのは「保健所」でいいんでしょうか？

藤原　そうですね。改正健康増進法違反においては、都道府県知事が指導にあたることになっていますが、実際に管轄するのは、一定以上の大きさの市はその飲食店を管轄する保健所になり、小規模な市町村は都道府県庁になります。厚生労働省のサイトに保健所の管轄範囲がまとめられています。

どうしても言うことを聞いてくれない場合の最後の最後の手段として、保健所などに報告するというのもありでしょう。保健所は、飲食店にとって一番厄介な役所なんです。安全面や衛生面において飲食店に指導をする立場であり、お店の営業停止をする権利も持つ役所なので、飲食店はできるだけ保健所と良好な関係を維持しておきたいわけです。ですから、保健所から指導がいくというのは効果があると思いますよ。

永江　ちなみに、保健所に通報する時には、どういう情報を伝えるのがいいのでしょう？

藤原　保健所が欲しい情報は、「該当する飲食店を特定する情報」「違反行為の内容」「確認日時」「報告者の連絡先」ですね。私のほうで作成した報告フォーム（図表１‐８）があるので紹介しますね。

※図表１‐８のフォームはこちらのＵＲＬからダウンロードできます。
https://petite-lettre.com/files/nosmonking/CheckList.pdf

図表 1-8　保健所への報告フォーム

__________保健所　御中

_____年___月___日

下記店舗において、記載の通りの健康増進法違反の疑いがありますので、報告します。

＜対象店舗＞

店舗名 ______________________________

所在 ______________________________（住所または「●●駅北側」等）

電話番号 ______________________________（分かれば）

＜現場確認日時＞

_____年_____月_____日　（午前・午後）_____時ころ

＜健康増進法違反が疑われる内容（チェック記入の項目）＞

☐ 店内に喫煙可の場所があるのに、**そのことを記載した標識**が飲食店出入口に表示されていません。（健康増進法 33 条 3 項，35 条 3 項，附則 2 条 1 項，3 条 1 項）

☐ 店内で喫煙しながら飲食可であるのに、**広告宣伝**でその旨が示されていません。（健康増進法 35 条 8 項，附則 2 条 4 項，3 条 2 項）

☐ 店内で喫煙しながら飲食可であるのに、**20 歳未満**立入禁止の**標識**が喫煙エリア出入口に表示されていません。（健康増進法 33 条 2 項，35 条 2 項，附則 2 条 1 項，3 条 1 項）

☐ **経過措置が受けられない**飲食店であるのに（規模が大きい飲食店である、または、2020 年 4 月 1 日以降の開業である）、喫煙しながら飲食がなされています。（健康増進法附則 2 条 2 項）

☐ 店内の喫煙可のエリアに **20 歳未満**がいます。（健康増進法 33 条 5 項，35 条 7 項，附則 2 条 1 項，3 条 1 項）

☐ 喫煙エリアの**間仕切りが不十分**です。（健康増進法 33 条 4 項，35 条 5 項，附則 2 条 1 項，3 条 1 項）

＜報告者＞

氏名 ______________________________

連絡先 ______________________________（電話番号・携帯電話番号・メールアドレス等）

出典：著者作成

永江　なるほど、これはわかりやすいですね。

田淵　たしかに、保健所に通報するのもひとつの手段です。でも、まずは客側ができるだけアクションを起こすべきだと思いますね。今、行政では、路上喫煙の苦情や飲食店への文句の電話が鳴り止まず、行政側はその対応で消耗しているようですから。わたしたち客側が直接お店に働きかけて、身近なところから変えていくのがいいと思います。

永江　たしかに、客側からのアクションで認知を進めていくことは必要ですね。
ただね、法律の認知を一番手っ取り早く進める方法って、罰則を知らしめることなんじゃないかな、と思うんですよ。たとえばね、２００７年に道路交通法が改正施行

されてから、飲酒運転は、運転する本人だけでなく、飲酒運転をするおそれのある人にアルコールを提供した側も処罰対象になったんです。この時も、今の禁煙問題と同じで、飲食店側がその法律改正にすごく反対したんですよ。「店にそんな責任を負わせるなんて酷い」「アルコールを提供できないんじゃ店が潰れる」って。

田淵　今回の受動喫煙の問題と構造が同じですね。

永江　そうなんですよ。まあ、そういうわけで、この飲酒運転に対する飲食店側の連帯責任っていうのも、なかなか認知が進んでいなかったんです。そんななか2018年、酒類提供違反容疑で、福井県内の居酒屋を経営する66歳の女性が逮捕されたニュースが出ました。つまり、客に飲酒運転をさせるおそれがあると知りながらアルコールを提供した、という罪で逮捕されたわけです。逮捕された女性は「まさか自分が逮捕されるとは思ってもいなかった。飲酒運転は自己責任だと思っていた」と言っていて、アルコールを提供した店側にも責任が及ぶということを知らなかったんです。

田淵　飲食店の経営者は、自分の行為が法律違反になっているという自覚がないまま逮捕になってしまった——やっぱり「知らない」というのは恐ろしい。

永江　うん。でも、このニュースによって、この法律の認知が一気に進んだ。飲食店で「運転しないかどうか」徹底的に確認されるようになったのは、このニュースが報道されてからなんですよ。基本的に田舎にあるような小さなお店って、こういうルールの認識が甘くて、なあなあになっているところが多いですけど、それ以降は確認されるようになりましたね。

藤原　このニュースはたしかに抑止力があると思います。一件でも実際に逮捕事例があがると、他人事とは思えなくなりますからね。

永江　そう。だから「違反したら罰則がある」っていうことを、飲食店側が認知することが必要じゃないかと思うんです。一番手っ取り早い方法として、この法律に前向きな保健所の所長さんと連携して、違反している飲食店を一件摘発するのがよいと思いますよ。そして、マスコミに報道してもらったら、先ほどの飲酒運転のニュースの時と同じで、ほとんどの飲食店がきっと禁煙にするんじゃないですかね。

藤原　健康増進法は行政罰ですから、その罰則は逮捕には至りませんが、最大50万円の過料があります。逮捕ではなくても、実際に50万円支払った事例があれば、飲食店側にこの法律を知らしめるのに十分な効果だと思いますね。

永江　もし今後、みんながこの法律を全然守らなくて問題になった場合には、行政罰から刑事罰に改正されて逮捕に至る……なんてこともあり得るんでしょうか？

藤原　可能性はあると思いますが、なかなか難しいんじゃないでしょうか。たとえば、裁判員裁判制度ってありますよね。あれは、裁判員候補者として呼び出されたら、定められている辞退事由に該当しない限り行かないといけません。これも、違反すると最大10万円の過料となっていますが、無断欠席して裁判所に行かない人は3割くらいいるらしいんですよ。みんな仕事が忙しいに決まっていますからね。でも、行かなかったからという理由で、罰則が適用された人は過去にひとりもいないですし、これがさらに重い罰に変わるかっていうと変わるとは思えません。

永江　それはそうですね。ただ、受動喫煙に関しては、それが原因で亡くなってる人たちが多いじゃないですか。飲酒運転の問題で、飲食店側が刑事罰の対象になったのも、亡くなった人が大勢いたからですよね？　死人が出ている以上、「法律としてはあるけど、守ってる人はいない」なんて状態は許されるべきじゃないと思うんですよ。

田淵　「法律としてはあるけど、守ってる人はいない」っていうのは、歩行者の信号無視みたいな感じですよね。いけないことだとはわかっているけど、周りの人がやっているから自分もいいか、みたいな。

永江　うんうん。それで言うと、警察側も喫煙に関しては見て見ぬフリしてますよね。東京都って、条例で路上喫煙が禁止されているのに、警察官は吸ってる人を見つけても全然取り締まってないですよね？　渋谷の駅前には交番があるんですけど、その前でみんな普通にタバコ吸ってるんですよ。それなのに警察は何もしないですよ。喫煙禁止を呼びかける放送を流すだけでも効果ありそうなのに。

藤原　警察が取り締まれるのは基本的に刑事罰だから、っていうのはあると思います。でも、刑事罰じゃなかったとしても、警察官としてルール違反の行為をしている人を注意するくらいはやってくれていいと思いますよね。

田淵　はい。正義感の強い警察官だったら、逐一注意してるかもしれませんが、注意するしないの判断は、現状では人ベースになっていますね。今後それが、警察による運用ベースに変わっていけるといいですよね。

07

禁煙にしたら店が潰れるなんて嘘

これからも喫煙者を
ターゲットにしている
飲食店経営者は、
はっきり言って
経営センスがない。

図表 1-9　店舗の喫煙環境アンケート結果

Q1　あなたの店舗の喫煙環境を教えてください。(回答必須)

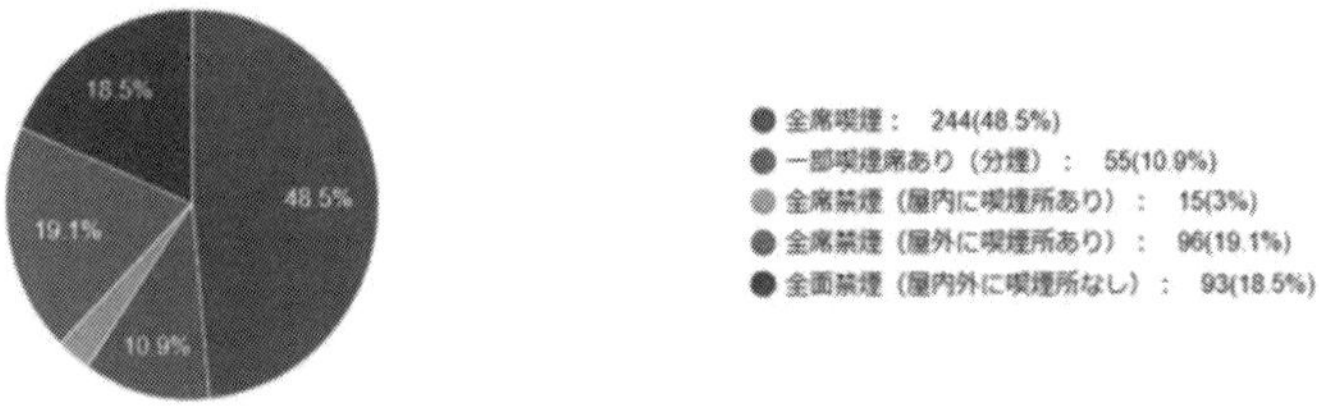
18.5%
48.5%
19.1%
10.9%
全席喫煙： 244(48.5%)
一部喫煙席あり（分煙）： 55(10.9%)
全席禁煙（屋内に喫煙所あり）： 15(3%)
全席禁煙（屋外に喫煙所あり）： 96(19.1%)
全面禁煙（屋内外に喫煙所なし）： 93(18.5%)

出典：Foodist Media
https://www.inshokuten.com/foodist/article/5604/

永江　それから、飲食店側がこんなに禁煙にネガティブなのは、「喫煙者のお客さんが来られなくなると店の売上が下がる」と思い込んでる人が多いことも影響していると思うんですよね。

藤原　それはあるでしょうね。飲食店側は、日本の喫煙率を知らないいんですかね？　知っていれば、禁煙にしてお客さんが減るとか、売上が下がるとは思わないはずです。

永江　そうそう。日本の喫煙率って、今は20歳以上のたったの17・8%なんですよね。圧倒的に少ない。でも、これまで全席喫煙可でやってきた小さな飲食店の店主なんかは、普段からお客さんの多くがタバコを吸うわけだから、この事実を実感しにくいんだろうなって。図表1‐9のデータなんて、飲食店側がお客さんの喫煙事情を完全に見誤ってることを示す、いい例だと思うんですよね。日本の喫煙率がたったの18％程度なのに対して、完全禁煙にしている飲食店は18％程度しかない。

田淵　え、割合反対じゃやなくて？　って思いますね。

永江　そうです。割合が反対だったら、まだわかるんですよ――タバコを吸う人が約18％なのに対して、喫煙可の店が18％程度で、それ以外が完全禁煙の店であれば。でも、これが現状。多くの飲食店は、たった18％程度の喫煙者を取りこぼさないようにがんばっているわけです。

藤原　しかもね、喫煙率って、もちろん20歳以上の割合です。でも、飲食店に来るのは20歳未満のお客さんだって多い。子ども連れの家族とか、学生同士でご飯食べに行きますよね。ですから飲食店側から見たら、喫煙者のお客さんなんて、ほんの数パーセントだと思いますよ。禁煙にしようかどうか迷っているお店があるなら、改正健康増進法の施行をいい口実にして、禁煙にしてしまえばいいと思います。

図表 1-10 「4/1 から禁煙にします」の告知文案

４月１日の改正健康増進法施行により、当店は全面禁煙にいたします。 喫煙可能とした場合、２０歳未満が立入禁止のお店になります。 お子さまからお年寄りまでお迎えしたい当店としては全面禁煙を選びました。 皆様のご理解とご協力をお願いします。 店主

出典：著者作成

永江　たしかにそうですね。それに、禁煙にしてもお店の売上は下がらないっていうのは、もうとっくに海外のデータが出ていますよね。

田淵　そうですね。海外は禁煙が進んでいますから、アメリカなんて１９９５年の時点で、カリフォルニアがレストランの全席禁煙を施行していますよ。だから、「禁煙化とお店の売上の関係」についてのデータは、もう90年代から蓄積されているんですよね。

永江　アメリカ以外にも、カナダやオーストラリア、南アフリカなんかも、この分析が進んでますよ。いずれにしても、これらのどの研究も、禁煙化はお店の売上にマイナスの影響を与えないっていう結果が出ています。しかも、アメリカのいくつかの州や都市、それからアルゼンチンのブエノスアイレスなんかでは、飲食店の全面禁煙によって、反対に売上が増加したことがわかってますよ。

田淵　日本では、某ファミリーレストラン２５３店舗の売上を比較したデータがあります。[8]全席禁煙にした店舗と、壁で仕切るなどの簡易的な分煙措置をした店舗を比較すると、全席禁煙にした場合は売上が有意に増加したけれど、分煙では有意な増加はなかった、と。

藤原　特にファミレスみたいな家族連れで行くことが多いお店は、全席禁煙にしたほうが絶対に有利ですよね。

永江　しかも店長さんたちが言ってましたけど、禁煙にしたことで、タバコ吸いながらドリンクバーの飲み物だけで打ち合わせするような男性客が減って、ランチに来る女性グループのお客さんが増えたんですって。客層がよくなることで売上も増える。

藤原　メインターゲットが家族連れのお店なら、全席禁煙を説得しやすいと思うんです。田淵先生がおっしゃっていたようにファミレスを元にしたデータがあるし、そもそも20歳未満立ち入り禁止になっちゃうと子ども連れて入れなくなるわけですから。でも、居酒屋とかってどうなんでしょうか？　お酒を提供している時点でメインターゲットは大人ですし、居酒屋って日本特有の文化だから海外のデータがあるわけでもないだろうし。

田淵　統計的な推定ではありますが、「禁煙は居酒屋の人気に影響を与えるか」について、東京都の居酒屋200件を調査したというデータはありましたね。[9] 結果としては、料理・味、サービス、コストパフォーマンス、酒・ドリンクに対する評価は、店全体の評価に有意な影響があるけれど、禁煙・分煙の有無は評価に影響がない、と。

永江　つまり、お客さんがお店を選ぶ時に、タバコを吸えるかどうかはそこまで重要じゃない。お店側は、料理やサービスの面で魅力を出すことのほうが大切だっていうことですよね。

田淵　そうですね。お店の存続をタバコのせいにするっていうのは、そもそも飲食店としておかしいですよ。飲食店なんだから、まっとうに料理で勝負すればいいのに、と思ってしまいます。

改正健康増進法
施行前…
一杯のコーヒーを楽しみながらタバコを一服…
純喫茶でそれができなくなるなんてねえ
コーヒーのおかわり？吸ってるからいらないよ
施行後
純喫茶
ここのコーヒー香りが良いわ♪
パンケーキもフワッフワ。銅板で焼いてるからですって。
おいちぃ♪
近所にこんなおいしいお店あったかしら
タバコくさいお店はあったけれどー

「こんなことならさっさと店内禁煙にすればよかった」と、この店主は思った。禁煙にするほうが売上アップしたっていう欧米のデータもあるよ。

08 本当は恐ろしい加熱式タバコ

紙巻きタバコは煙が見えるから避けられる
路上喫煙本当にやめてほしい
…ん？オシッコくさいぞ…
加熱式タバコ特有の不快なにおい…
ぐは!!!
外田がこわい…

加熱式タバコは紙巻タバコと違い有害な煙が見えない！危険なのに見えないってすごく恐怖。

永江　ちなみに、今回の改正健康増進法では、従来の紙巻タバコだけでなく、アイコス（IQOS）、プルーム・テック（Ploom TECH）、グロー（glo）などの加熱式タバコも対象になるのでしょうか？

藤原　はい。**アイコスのような加熱式タバコであっても、「喫煙室」内でしかタバコを吸えなくなります。**そして、この喫煙室への20歳未満の立ち入りが禁止されているのは同じです。お客さんでも従業員でも、20歳未満の人は喫煙室に入ることはできません。ただ、加熱式タバコについては経過措置が設けられており、紙巻タバコとは少し扱いが異なります。紙巻タバコの場合、店内に設けられた喫煙室では飲食が禁止されているのですが（あくまでタバコを吸うためだけの喫煙室であり飲食不可）、加熱式タバコの場合、飲食可能な喫煙室を作ることができるのです。

永江　加熱式タバコと紙巻タバコで、扱いにそのような差があるのはどうしてなんですか？

藤原　今回の改正健康増進法では、加熱式タバコは紙巻タバコと異なり「他人の健康を損なう恐れがあることが明らかでない」[10]ということで、経過措置として別取扱いが認められたのです。

とはいえ、この改正健康増進法の成立後に、ＷＨＯが「加熱式タバコの受動喫煙の危険性」についてレポートで発表しています。[11]ですから、「加熱式タバコなら安全」なんてことはないんですけどね。

田淵　そう、加熱式タバコは決して安全だとは言えません。従来の紙巻タバコと同様に、有害物質や発がん物質が発生する有害な製品です。有害物質の種類によっては、紙巻タバコより量が少ないものもあるし、多いものもあります。ですから、加熱式タバコを特別扱いせずに、紙巻タバコと同等に扱うべきだと思いますね。

藤原　そもそも、「他人の健康を損なう恐れがあることが明らかでない」からと許可されていることが納得できませんよね。

田淵　そうなんです。「リスクがわからないので禁止できない」となっていますが、本来であれば予防原則により**「リスクがないとわかるまでは禁止する」**べきなんですよね。

永江　そうですよね。加熱式タバコが及ぼす害は、実際にまだ正確なことがわかっていない――研究結果として加熱式タバコの害がわかるまでには、何年くらいかかるんでしょうか？

田淵　30年くらいでしょうか。ただ、わたしとしては30年経っても、加熱式タバコ自体の本当の害ってわからないと思うんですよ。

永江　え、そうなんですか？

田淵　なぜかっていうと、加熱式タバコ自体の害を調べるには、加熱式タバコのみの影響を調査しないと、正確なことがわからないからです。でも、加熱式タバコを吸ってる人って、ほとんどが紙巻タバコも吸ってる（吸っていた）でしょ？　そうすると、何かしらの症状が発生したとしても、紙巻タバコの影響なのか加熱式タバコの影響なのかがわからないんです。紙巻タバコの影響を完全に除外するためには、日々変動する喫煙状況や受動喫煙の状況も含めてかなり詳細な情報が必要になるんですよね。

永江　なるほど。

田淵　薬物なんかも同じですよね。たとえば大麻なんてかなり前からありますけど、大麻をやってる人はタバコを吸ってることが多いですし、タバコを吸ってなかったとしても他の薬物に手を出している可能性が高い。そうなると、もう何が何の害なのかわからないですよ。

藤原　本当のリスクなんて、永遠にわからないかもしれない――それなのに「リスクがわからないので禁止できない」というのは、根本的に考えが間違ってますね。国は未知の危険から国民を守ってほしいところです。

田淵　そうなんです。そもそも、有害物質の塊である紙巻タバコと比較して「加熱式タバコのほうが安全だ」と考えること自体がおかしいと思うんですよね。加熱式タバコを、有害物質の含有量という点で化粧品や食品などタバコ以外のものと比較すれば、加熱式タバコが圧倒的に有害だということは明らかなんですから。社会に存在するものとして、他に通用するまっとうな基準からすると、加熱式タバコは禁止されるべきものです。そうするといいよ、紙巻タバコがあることの異常さがよくわかると思います。

永江　たしかに。加熱式タバコの恐いところって、本当は有害なのに、もっと有害な紙巻タバコと比較して「安心」だとみんなが思い込んでしまっているところかなって思います。

田淵　そうなんですよね。加熱式タバコって、紙巻タバコと違って「煙」がほとんど目に見えません。タバコ会社の宣伝文句とあいまって、クリーンなイメージができ上がってしまっているようです。でも、加熱式タバコの場合に喫煙者が吸っている「エアロゾル」も単なる水蒸気なんかではなく、先ほど言ったとおり多くの有害物質を含んでいるんです。

藤原　では、加熱式タバコの場合も、受動喫煙の被害はあるということでしょうか？

田淵　加熱式タバコには副流煙（吸っていない時にタバコの先端から出る煙）がないぶん、紙巻タバコよりは受動喫煙の害は少ないかもしれません。でも、加熱式タバコにも呼出煙《こしゅつえん》（吸い込んだ後に吐き出す煙）はありますし、何より「加熱式タバコは安全」だと思い込んでいる人が多いことが危険です。

永江　なるほど。お店で「俺アイコスに変えたから！」って言って、堂々と目の前で吸う人いますよね……（笑）

田淵　そうですね。もともと配慮してくれていた人で、非喫煙者の前ではタバコを吸わないでいた人も、加熱式タバコに切り替えたことで安心して、場所を問わず喫煙してしまうことがあるみたいですね。特に、自宅内ではタバコを吸わないルールだったのに、加熱式タバコなら大丈夫だろうと吸ってしまうケースが続出しています。この場合、子どもや家族が、それまでなかった受動喫煙にさらされることになりますよね。このように、加熱式タバコに切り替えることで、今までなかったはずの受動喫煙が生み出されているんです。

永江　自宅での喫煙の話ですが、住居っていうのは改正健康増進法の対象にはならないんですよね。でも、たとえばマンションのベランダでタバコを吸ったりするのって、実

「ホタル族」
かつて家族から煙たがられしかたなくベランダで喫煙していたオヤジたち…
遠くから見るとホタルの光っぽく見えるから、そう呼ばれていたとか
しかし裁判で慰謝料が請求された事例が！
洗濯物がタバコ臭くなって困ってたのよねー
部屋でタバコを吸おうとしても…
東京都は条例で、家庭内の子どもと同室の空間ではタバコを吸ってはいけないんだって。
PaPa
わぁ、汚い！退去時は自己負担で壁紙張り替えてね！
タバコのヤニとにおいは通常使用の汚れじゃないって国土交通省のガイドラインに書いてあるから
ちなみに換気扇をつけて喫煙することもNG。もしマンション住まいで共用部分の廊下に煙が出たら隣人が受動喫煙にさらされる。自宅であっても他人に危害を加える喫煙は許されません。

際どうなんですかね？　隣の部屋に煙がいったりするでしょ？

藤原　そうですね。ベランダでの喫煙が近隣の迷惑になるっていう話は、実際によくありますね。分譲マンション等におけるベランダは、廊下やエントランスと同様に共用部分になるため、その利用方法については管理組合で決めることができます。

永江　共用部分という扱いになるんですね。でも自宅って、もう自分の居住空間なわけで、行く行かないを選べる飲食店なんかよりも問題がもっと深刻だと思うんですよ。住人同士で揉めて、裁判になった事例とかってないんですか？

藤原　平成24年に名古屋地方裁判所で出された判決がありますね。マンションに住む70歳代の女性が、真下の部屋に住む60歳代の男性に対して「その男性がベランダで吸うタバコの煙が原因で、体調が悪化した」などとして損害賠償を請求した、というものです。男性がベランダで吸うタバコの煙は女性の部屋にも入ってきていて、女性はその煙にストレスを感じたり、帯状疱疹《たいじょうほうしん》を発症したりしていたそうです。女性は男性に対して、ベランダでの喫煙をやめるよう何度もお願いしていたそうなのですが、男性が全く聞き入れなかったので訴訟を起こした、ということです。

田淵　こういう事例があるのはいいんですけどね、じゃあ慰謝料払えば吸っていいのかっていうと違うじゃないですか。タバコの健康被害って、お金を払えば解決するわけじゃないですからね。できれば、喫煙者に対して注意をする時に、一発でやめてもらえるような説得の仕方があるといいんですけどね。

藤原　そうですね。ただ訴訟になるというのは多くの人にとってそれだけで相当ストレスになるので、ベランダで喫煙する行為が訴訟になるかもしれないようなことだ、という認識が広がるだけで抑止力にはなると思いますよ。実際に訴訟にする必要なんてありません。

ひとつ武器になるのは、たとえば東京都だと「東京都子どもを受動喫煙から守る条例」というのがあります。この条例は、どんな場所においても子ども（18歳未満）を受動喫煙から守る努力義務があることを定めたものです。具体的には、家庭内で子どもと同室で喫煙したり、子どもが同乗している自動車内で喫煙したりしてはいけない、といったことが決められています。

さっきの裁判事例は、訴えたのが70歳代女性でしたので直接の対象にはならないかもしれませんが、こういう条例ができつつあり、また今度の改正健康増進法の施行もあり、「タバコは社会的に認められない」っていう認知が広がりつつあります。これらの法律の趣旨を理解させることで、できるだけ当事者間でも解決できるようになっていくといいですね。

田淵　そうですよね。「東京都子どもを受動喫煙から守る条例」だって、これはたしかに東京都の条例ですけど、それじゃあ、東京都以外では子どもを受動喫煙にさらしてよい、とは普通考えませんからね。

藤原　そう。むしろ、この東京都の条例の趣旨を、東京都以外にも広げようという流れになっていくと思いますよ。

田淵　実際、大阪府や兵庫県でも同様の条例がすでにできていますし、その他の都道府県など自治体でもできるといいですね。

藤原　それからもうひとつ、住居に関してですが――賃貸住宅の場合だと、借りていた人は退去時に「原状回復」の必要がありますよね。

永江　ありますね。壁をすごく傷つけたりしたら、敷金内で直せないから、管理会社から修理費を請求されたりしますね。

藤原　そうです。普通に生活していてもどうしても傷んでくる程度の「通常の損耗」については、借りていた人が負担する必要はないのですが、それ以上の損耗については修理費を請求されます。で、この「通常の損耗」の判断については、国土交通省が「原状回復をめぐるトラブルとガイドライン」というものを作っているんですね。2011年にこのガイドラインの改定があって、「タバコのヤニ・臭い」が「通常の損耗」から外されることになったんです。

永江　部屋で煙モクモクしていた人は、退去時には自費で部屋のクリーニングをしなけりゃならないと。

藤原　そうです。こういうガイドラインって、社会的に一般的な生活とはどんなものかを考えて作られるわけですから、賃貸住宅内での喫煙は、２０１１年の時点でもはや社会的に「一般的な生活」じゃなくなったということです。

田淵　そういう重要な情報がほとんど報道されていないのは問題ですね。いつものことで、驚きませんが……。

永江　ちなみに、職場で受動喫煙の害にあっている場合はどうすればいいんでしょうか？改正健康増進法によって職場も原則禁煙になるわけだから、喫煙を許しているような職場は法律違反になりますよね。通報するとしたら労基署（労働基準監督署）なんでしょうか？

藤原　まず、改正健康増進法において「多数の者が利用する施設」の屋内部分はおよそ禁煙とされました。この「多数の者が利用する施設」とは「2人以上の者が同時に、又は、入れ替わり利用する施設」とされています。[12]よって世の中のオフィスというオフィスは、およそ禁煙にするべきことになりました。

職場においても飲食店への対応と同様に、まずは「職場は禁煙になった」ということを会社側に伝えることから始めるといいですね。今回の法律改正を知らないだけ、という可能性もありますから。それでも会社側が対応をしてくれない場合、報告する先は労働局の衛生課です。会社と従業員との間でトラブルになるような場合、労働局が会社との話し合いの場を斡旋してくれます。「職場の受動喫煙で悩んでいる」と労働局に相談することができると思います。

永江　労働局への通報では、匿名を守ってもらうことは可能なんですか？　喫煙可能な職場環境を改善したいけれど、会社側と対立するのは嫌だから匿名にしてほしいって思う人が多いと思うんですよね。

藤原　はい。連絡をする際には、報告者が誰で、どの会社のことを言っているのか、といった基本的な情報は必要ですが、会社に対しては希望すれば匿名は守られます。

田淵　労働局に連絡をする場合には、喫煙可能な職場環境に対する不満を伝えるだけでなく、受動喫煙対策のために自分が社内でどんな動きをして、それに対して誰がどんなことを言ったのか、といった記録を用意しておくといいと思いますね。

09

タバコ会社の戦略に乗せられるな！

どうしてタバコを吸わないのか？
吸ってる人がDQN
なんだてめぇ外で吸って何が悪い!?
排水溝に吸いガラ捨ててるだろ？
吸ってる人が低所得者・・
おにぎり5個ガマンすればタバコが買えるんですよ…ふふ
ゴホゴホ…これ1本吸ったらやめる……
タバコを吸ってるだけであぁいう人たちに見られちゃうのがちょっとねぇ…

不健康でかっこわるい。
現代社会において
はっきり言って、
タバコはバカっぽい
アイテムなのです。

永江　わたしね、言い方悪いですけど、タバコ吸って煙モクモクやってる人たちって、偏差値低くて貧乏なイメージがあるから、ダサいなって思うんですよ。でも、加熱式タバコって、煙が出ないこともそうですが、見た目や商品名がスタイリッシュな感じなのも印象をよくしていませんか？　加熱式タバコを販売しているショップも、アップルストアを意識したようなオシャレな雰囲気ですし。

藤原　商品名も、アイコス（IQOS）、プルーム・テック（Ploom TECH）、グロー（glo）など、なんとなく最新ガジェット風ですよね。

田淵　日本人が好きそうな感じですよね（笑）　これはもう全部、タバコ会社によるマーケティング戦略のたまものですね。永江さんの指摘のとおり、最近の若者はタバコに対して「かっこ悪い」っていう印象を持ってるんですよね。ある大学生のアンケート調査では、男女ともに89％の学生が「タバコを吸う異性に悪い印象を持つ」と答えたんです。タバコ会社は、加熱式タバコによって「タバコはかっこ悪い」っていうイメージを払拭しようとしてるんです。

藤原　なるほどね。私は2019年4月から、兵庫県の西宮市教育委員会の教育委員をやっているんですけど、毎月、小学生・中学生の問題行動についての報告があるんです。この問題行動の項目に「タバコ」というものがあるんですが、今は小中学生の問題行動として「タバコ」の報告なんてほとんどないんです。それだけじゃなく、タバコ、飲酒、薬物全てほとんどない。

もちろん統計に現れていないだけで実際には何件かある可能性はありますが、今どきの若者の間では、タバコに対してネガティブな印象が広まっているっていうのは本当なんだと思います。昔は、タバコは大人の象徴みたいなところがあって、若者もタバコを吸う大人に憧れがあったんでしょうが、今は違うってことですね。

永江　うんうん。今どき、六本木とか代官山とかそういう都会にあるような、こじゃれたカフェでタバコ吸ってる人なんていませんからね。でも反対に、田舎は禁煙が全くと言っていいほど進んでいない。周りの大人がタバコ吸いまくりだったら、若者も自然とタバコを吸うようになっていくわけだから、タバコのループは続いていく。

藤原　これじゃ、都会と田舎で、どんどん格差が広がっていきますね。

永江　わたしね、喫煙率ってインバウンド事業とも関係あると思うんですよ。海外のお客さんが多いお店って、やっぱり禁煙のところがほとんどじゃないですか。

田淵　「喫煙ＯＫのお店＝海外のお客さんは来なくていいですよ」って言っているようなもんですよね。欧米に限らず多くの国で、屋内は禁煙が当たり前だと考えている人が増えています。

藤原　一方で日本は、世界の諸外国に比べてタバコ対策が本当に遅れています。ＷＨＯが定める受動喫煙対策の４段階評価において、日本の受動喫煙対策は最低ランクに位置するとされていますよね。

田淵　はい。ＷＨＯは、世界のタバコ対策の進捗状況を定期的に評価（各政策を４段階評価）しています。それぞれの政策の頭文字を取って、「ＭＰＯＷＥＲ（エムパワー）」と呼ばれています。

図表 1-11　世界のタバコ政策を評価する「MPOWER」

Monitor tobacco use and prevention policies タバコの使用と予防政策をモニターする（FCTC 第 20, 21 条）
Protect people from tobacco smoke 受動喫煙からの保護（FCTC 第 8 条）
Offer help to quit tobacco use 禁煙支援の提供（FCTC 第 14 条）
Warn about the dangers of tobacco 警告表示等を用いたタバコの危険性に関する知識の普及 （脱タバコ・メディアキャンペーンを含む）（FCTC 第 11, 12 条）
Enforce bans on tobacco advertising, promotion and sponsorship タバコの広告、販促活動等の禁止（FCTC 第 13 条）
Raise taxes on tobacco タバコ税引き上げ（FCTC 第 6 条）

出　典：World Health Organization. WHO report on the global tobacco epidemic 2017 (MPOWER). 2017. を元に著者が作成
https:// www.who.int/tobacco/global_report/en/

・タバコ使用率など関連状況のモニタリング（ＭＰＯＷＥＲの「Ｍ」）
・職場や公共の場所などの屋内空間の禁煙化（ＭＰＯＷＥＲの「Ｐ」）
・禁煙クイットラインや禁煙治療を含む禁煙支援の提供（ＭＰＯＷＥＲの「Ｏ」）
・タバコの箱の警告表示（ＭＰＯＷＥＲの「Ｗ‐１」）
・タバコＣＭなどの脱タバコ・メディアキャンペーン（ＭＰＯＷＥＲの「Ｗ‐２」）
・タバコの広告・販売・後援の禁止（ＭＰＯＷＥＲの「Ｅ」）
・タバコ税増税を含むタバコの値上げ（ＭＰＯＷＥＲの「Ｒ」）

田淵　このＭＰＯＷＥＲのなかで、モニタリング（ＭＰＯＷＥＲの「Ｍ」）を除き、日本が最高レベルの達成度に到達している施策はひとつもありません。そのうえ、受動喫煙対策、脱タバコ・メディアキャンペーン、タバコの広告・販売・後援の禁止の項目において、最低レベルだと判定されています（ＭＰＯＷＥＲ２０１９では今回の改正健康増進法を受けて受動喫煙対策の評価が１段階引き上げられました）。

永江　悲しい現実ですね。でも今が最低レベルということは、タバコ対策をもっと徹底すれば、海外の観光客などももっと増えると思うんですよ。実はね、京都・奈良って外国人観光客に人気のスポットであると同時に、喫煙率もすごく低いんですよ。奈良は47都道府県で一番喫煙率低いし、京都も5位以内に入るんです。

田淵 なるほど。

永江 反対に、外国人が一番来ないエリアって東北なんですけど、東北は喫煙率もすごく高いんです。

藤原 外国人が来ないから禁煙の意識が生まれないのか、禁煙にしないから外国人が来ないのか、どっちなのかはわからないですけど関係はあるかもしれませんね。

田淵 そうですね。実はわたしは、喫煙の都道府県格差の研究もしておりまして、北海道や東北地方の喫煙率が高いんです。ただ、北海道は外国人が多く訪れる地域ですから、この原因だけでは説明がつきません。今後も要因を探っていこうと思っています。

田淵　加熱式タバコの話に戻りますけど——実は、日本は２０１８年時点で、アイコスの販売世界シェアの80％以上を占めてるんですよ。

永江　え、80％もですか……!?

田淵　はい。どうしてこんなに日本で売れているかっていうと、理由はいろいろありますが、ひとつは**タバコ製品の販売承認がされやすく、宣伝・広告が可能**だということだと思います。

藤原　日本には**「たばこ事業法」**がありますから、タバコ製品の販売承認は簡単にクリアできるでしょうね。たばこ事業法っていうのは、「たばこ産業の健全な発展を図り、財政収入の安定的確保を目的とする」法律です。

田淵　この法律でタバコ製品（タバコの葉を使用する製品）は守られているんです。アイコスを提供しているフィリップモリス社の本拠地アメリカでも、アイコスは当初なかなか販売許可が下りなかったんですが、日本は加熱式タバコの販売をあっさりと認めたんです。これだけ多くの有害物質や発がん性物質を含んでいるにもかかわらず。

永江　なんで、有害物質の塊みたいなタバコが法律なんかで守られているのか――もうこれは「ＪＴの存在抜きにして語れない」って感じですね。

自民党
たばこ議員連盟
政治献金
ありがとう
ございます
禁煙より分煙！
めざせ分煙先進国！
タバコ業界の
諸問題を研究し、
零細かつ高齢化している
タバコ販売者の生活を守り、
タバコ業界の
健全な発展を～！
…つまり
禁煙はいやだ
既得権益を
断固として
守りぬくぞ…と？
がんばったので、
次の会長職も
お願いいたします！

ＪＴの会長職は
財務省の大切な天下り先。
利権がからむ政治家が
タバコの販売に
不利になることを
言うわけがないよね。

田淵　はい。少し話がそれてしまいますけど、**ＪＴが日本のタバコ対策を阻止しているということ**は、ここで強くお伝えしておきたい。

永江　ＪＴは、元国営企業のタバコ会社で、現在も筆頭株主は国。そしてもうずっと長い間、財務省からの天下り先になっています。問題は、現在の自民党にＪＴから献金をもらってる「自民党たばこ議員連盟」が存在しているってことですね。

藤原　そうすると、献金をもらってる議員はＪＴにいい顔していたいですから、国として禁煙が進まないのも当たり前ですね。

永江　ＪＴにいい顔していたいのもありますけど、たばこ議員たちは、そもそもみんなタバコ大好きなニコチン中毒ですからね。わたしね、自民党たばこ議員連盟の臨時総会で、受動喫煙について話し合われた内容を、以前ブログで公開したことがあるんですよ。

その時、喫煙擁護派の静岡県の議員が、「（受動喫煙に反対の）医師会は受動喫煙防止対策法案の署名を取っているようだが、私の県では会長が『こんなものはダメだ』と言って握りつぶしてくださってる。介護施設や障害施設の人は、（喫煙者と非喫煙者双方に対して）合理的配慮が必要だと言っているが、喫煙者が喫煙したい時、門の外まで車椅子を押していくなど、本当に合理的配慮か」と発言していました。いくら非公開とはいえ、国会の受動喫煙の会議で「（受動喫煙防止対策法案の署名を）握りつぶしてくださってる」だなんてよくそんなに堂々と自慢げに言えますよね。

田淵　ふざけてますね。こういう人たちが議員をやってるから、日本のタバコ対策は全然進まないんですよ。「日本はタバコ対策がきちんとできていない国」って、世界的に有名になってしまっています。タバコ対策に関する国際会議で、日本の代表団がタバコ対策の推進を阻害するような発言を繰り返して、他国の参加者から冷笑されたこともあります。

藤原　なんて、みっともない……。

田淵　とにかく、こういう具合に日本はタバコ対策が不十分にしかできていない状態なので、過去の加熱式タバコと同様に、加熱式タバコの販売承認はあっさりクリアされたわけです（実は１９９０年代にも「アコード（Accord）」という名前の加熱式タバコが日本でも売られていました。加熱式タバコは実は新しいものではないのです）。

田淵　日本で加熱式タバコが広まったもう一つの大きな要因が、**日本ではタバコの宣伝・広告が可能**だったこと。

永江　日本では、ＪＴのテレビＣＭや広告なんかを当たり前のように目にしますよね。

田淵　はい。世界の多くの国では、タバコの宣伝・広告は禁止されているんです。一方日本では、タバコ会社による自主規制にとどまってるんですよね。製品自体の宣伝広告は控えているようですが、それ以外――たとえば、喫煙マナー向上の広告や、未成年者喫煙防止の広告は禁止されていません。挙句に、加熱式タバコが登場してからは、加熱式タバコを連想させるようなテレビＣＭなんかも出してきた。

永江　うんうん。もはやそれはタバコの広告じゃないの？　っていうようなアピールの仕方をしてきますよね。これは「週刊女性ＰＲＩＭＥ」に２０１７年にあがっていた記事なんですけど――ジャニーズのSexy Zoneの佐藤勝利くんが、企業の新入社員役を演じているドラマ撮影現場の様子について書いた記事です。記事内にはこんな文がありました。

「午後は新入社員たちの入社式の撮影。昼休憩では佐藤クンが同期役の俳優たちと本当のサラリーマンみたいに過ごしていましたよ。喫煙所で一服しながら談笑する場面も。そこで吸っていたのは、タバコではなくIQOSでしたね」（前出・制作会社関係者）

佐藤が使っていたIQOSとは、タバコ葉を熱した蒸気を吸って楽しむ電子式のタバコで、においが少ないことから近年、人気となっている商品だ。

藤原　え、これはもう、ジャニーズのイケメンを例に出して、「今どきのイケてる社員はアイコス吸うんですよ」と宣伝しているとしか思えないですね（笑）

永江　そうなんですよ。なぜか突然アイコスの商品説明が始まってますし、最後は「人気商品だ」って宣伝してます（笑）　しかも、記事の最後の文はもっと謎です。

フレッシュな意気込みをオフィシャルホームページで熱く語っていた佐藤。今後の撮影でも、菜々緒にいたぶられるシーンの後は、IQOSで気分転換をする姿が見られるかも。

田淵　これ、記事を全部読むと、より違和感を味わえますね（笑）　ドラマの撮影現場の様子を伝えているなかに、何の脈略もなくアイコス紹介が始まる……無理やり感がすごいですね（笑）

永江　真偽のほどはわかりませんが、もうこれは、タバコ会社からお金もらって書いてるんじゃないか、と思っちゃいますね。

田淵　タバコ会社の広告・宣伝が（自主規制はあるとはいえ）合法になってしまっているのは、本当に大きな問題です。ＪＴっていろいろなテレビ番組のスポンサーもやっているから、メディアはタバコの有害性についてはほとんど取り上げることがないんです。受動喫煙で年間１万５０００人も亡くなってるとか、加熱式タバコにはニコチンが十分含まれていてニコチン依存症になるってこととか、知らない人が多いですから。

永江　たしかにＪＴがスポンサーじゃ、「タバコはこんなに危なかった！」なんて番組絶対にできませんよね。

田淵　そうなんです。健康番組が増えているのに「タバコをやめよう」みたいな特集はほとんどない。よく見かけるストーリーは、「野菜を食べると大腸がんを減らせる」とか「玉ねぎに含まれるリコピンという成分には、がんを予防する効果があると動物実験で報告された」とかの類です。

永江　あるある（笑）そういう特集よくやってますよね。ああいうのって、実際どれだけ本当にがん予防に効果があるんですか？

田淵　科学的根拠を総合すると、野菜摂取というのは「そういう可能性もある」という程度のエビデンスなんです。次のページの図表1‐12は、私の著書『新型タバコの本当のリスク　アイコス、グロー、プルーム・テックの科学』でも取り上げたデータです。国立がん研究センターが科学的根拠に基づいて判断して、がんの危険因子についてまとめました。

図表 1-12　がんの危険因子

	胃	大腸	肝臓	肺	乳房
確実	**喫煙** ピロリ菌感染	多量飲酒	**喫煙** 多量飲酒 肝炎ウイルス感染	**喫煙**	閉経後の肥満
ほぼ確実	塩分	**喫煙** 肥満 運動不足	肥満 糖尿病	**受動喫煙** 職業性 アスベスト	
可能性あり	穀類	保存肉			**喫煙** 運動不足 授乳なし 閉経前の肥満
データ不十分	飲酒 肥満			運動不足 肥満 飲酒	多量飲酒

出典：科学的根拠に基づくがんリスク評価とがん予防ガイドライン提言に関する研究：研究班によるパンフレット 2017 年版（第４版）https://epi.ncc.go.jp/can_prev/index.html
U.S. Department of Health and Human Services, Centers for Disease Control, Office on Smoking and Health. The health consequences of smoking - 50 years of progress. A report of the Surgeon General. Rockville, USA 2014..
上記２つの資料を総合的に判定し、著者が作成

田淵　図表1-12は、がんの種類を横に、危険因子のレベルを縦に見ます。がんの種類は、日本人に多い、胃がん、大腸がん、肝臓がん、肺がん、乳がんの5つ。それぞれの部位の危険因子は「確実」「ほぼ確実」「可能性あり」「データ不十分」という4つのレベルに分けられています。

永江　「喫煙」はほぼ全ての部位で危険因子になっていますね。

図表 1-13　がんの防御因子

	胃	大腸	肝臓	肺	乳房
確実					
ほぼ確実			コーヒー		
可能性あり	野菜・果物 緑茶（女）	カルシウム 食物繊維 魚由来の 不飽和脂肪酸		果物	大豆 イソフラボン
データ不十分	緑茶（男）	野菜・果物	野菜・果物	野菜	野菜・果物

がんの防御因子に「確実」と認定されているものはなく、「ほぼ確実」もほとんどない。
ここに載せた因子は食物中の栄養素を見たもので、サプリメントとしてのカルシウムやイソフラボン製剤に関する研究はない。

出典：科学的根拠に基づくがんリスク評価とがん予防ガイドライン提言に関する研究：研究班によるパンフレット 2017 年版（第４版）を元に著者が作成 https://epi.ncc.go.jp/can_prev/index.html

田淵　そうなんです。一方で、「がんになるのを防ぐことができるもの」をまとめたデータが図表１‐13。「確実」もしくは「ほぼ確実」に、がんを予防できるとわかっているものはほとんどありません。

つまり、がんを予防するために一番重要なことは、見てのとおり「タバコをやめること」なんです。こんなわかりやすい結論、他にないじゃないですか。それなのに、ＪＴがスポンサーになってる番組ではこんなこと言えないので、科学的根拠がないにもかかわらず「○○を食べるとがん予防になる」といった内容の放送がされているんです。

藤原　正しい情報が視聴者に伝わることをＪＴが阻止してるんですね。

田淵　そうなんです。それに加えて、ＪＴは最近、日本の全ての主要なテレビ局のニュース番組にお金を出すようになったんです。どういうことかと言うと、各テレビ局でニュースの放送内容を決めるディレクターたちは、自分たちの番組のスポンサーがＪＴだと認識しているということです。そうなると、（実際のところはわかりませんが）彼らがどういう判断をしなければならないのか、それは容易に想像がつきますよね。ＪＴはニュース番組を歪めようとしていて、実際大きく歪められていると思います。

永江　つまり、日本でタバコの害が正しく伝わらないのも、タバコ対策が進まないのも、こうしたＪＴのロビー活動の結果だということですね。

藤原　ちなみに、ＷＨＯのタバコ規制枠組条約（ＦＣＴＣ）という国際条約があり、その13条では、あらゆるタバコの広告、販売促進および後援の包括的な禁止を行うことなどを、締約国に対して求めています。これは世界で１８１ヶ国が調印しており、日本も２００４年に国会で承認しています。それにもかかわらず、このようなタバコ会社の広告やスポンサーシップが大っぴらになされているのは、国際条約違反とも言える状況です。早くＦＣＴＣに対応する国内法を整備してほしいものです。

第1章　脚注

1　詳細については、30ページを参照。
2　たばこ規制枠組条約（FCTC）第8条の実施のためのガイドラインより。
3　より具体的には以下の条件を満たす飲食店のこと。
「改正健康増進法施行日（2020年4月1日）時点で現に存在していること」「資本金5000万円超の会社が経営しているものではないこと」「客席の床面積が100平方メートル以下であること」

よって、改正健康増進法施行日（2020年4月1日）以降は、紙巻タバコを吸いながら飲食可能な飲食店は新規開店できません。
4　改正健康増進法33条2項、35条2項、附則2条1項より。
5　ただし、従業員が家族や家事使用人の場合は除く。
東京都受動喫煙防止条例附則第3条第2項、秋田県受動喫煙防止条例第9条第1項、千葉市受動喫煙の防止に関する条例第5条参照。

6 Invernizzi G, Ruprecht A, Mazza R, Rossetti E, Sasco A, Nardini S et al. "Particulate matter from tobacco versus diesel car exhaust: an educational perspective." Tob Control 2004, 13(3) : 219-221

7 大和浩作成「受動喫煙と三次喫煙」
http://www.tobacco-control.jp/slides/documents/190325_SHS_THS.pdf

8 大和浩、太田雅規、中村正和「某ファミリーレストラングループにおける客席禁煙化前後の営業収入の相対変化　未改装店、分煙店の相対変化との比較」『日本公衆衛生雑誌　61巻3号（2014年）』

9 山本勲、大谷広伸、後藤晋太朗、齊藤啓太、都築健太郎「禁煙の実施が居酒屋の人気度に与える影響」『日本禁煙学会雑誌　第14巻第2号2019年（令和元年）』

10 改正法附則第3条第1項における文言。同項では「指定たばこ」と規定されている。そして、この「指定たばこ」は「加熱式たばこ」であると定義されている（厚生労働省告示第39号）

11　改正法成立後である２０１９年7月26日に、ＷＨＯが発表した「WHO REPORT ON THE GLOBAL TOBACCO EPIDEMIC, 2019」というレポートによれば、加熱式タバコも受動喫煙被害が発生することが指摘されている（52～55頁）。

12　「改正健康増進法の施行に関するＱ＆Ａ」（厚生労働省平成31年4月26日公表）より。

第2章

タバコの健康被害を正しく知って、タバコをやめてもらおう！

ニコチン依存症の喫煙者を、企業が採用しなくなる!?

01

喫煙者ほど新型コロナウイルスで重症化する！

新型コロナの影響で外出時はみんなマスク
見えないウイルスはこわいなぁ
えっ!?
ふぅ〜〜っ
マスク外してタバコ吸うの…
タバコを吸うと肺が弱る!!
インフルエンザ、ウイルス疾患にかかりやすい！
(当然コロナも！)
新型コロナ怖いなら禁煙すればいいのに…

「新型コロナは喫煙者ほど重症化しやすい」という論文が出ている。

ウイルスが怖い？
タバコの害のほうがもっと怖い……。

永江　これまでお話ししてきたとおり、タバコは本当に有害です。今世間を騒がせている新型コロナウイルスも、喫煙者のほうが重症化するリスクがあるっていう論文が出ましたよね。わたしは、その論文が出るより前に「中国における新型コロナウイルスの死者は、男性が女性の2倍におよぶ」っていう朝日新聞の1月31日の記事を読んだんですよね。それで、「あ、これは喫煙と関係がありそうだな」と思って調べてたんです。

ＷＨＯが２０１８年に発表したデータによると、中国の喫煙率は男性が48・４％、女性が１・９％で、日本より男性の喫煙率がずっと高いんですよ。もちろん女性も受動喫煙を激しく受けていると思いますけどね。だからもう、新型コロナウイルスの症状が悪化する要因はタバコだろうな、と思って。

田淵　そうですね。新型コロナウイルスっていうのは、ＡＣＥ２受容体という細胞表面に発現する酵素に結合することで、人間の体内に侵入しています。そこで、人種、年齢、性別、喫煙習慣とＡＣＥ２受容体発現との関連が分析されました[13]。これが先ほど永江さんが指摘していた論文ですね。その結果によると、人種（アジア系か白人か）、年齢（60歳未満とそれ以上）、性別のいずれにおいてもＡＣＥ２受容体の発現において有意な違いはなかったんです。ただ、喫煙者の肺胞からは、非喫煙者と比べて有意に高いACE2受容体の発現が見られたそうです。つまり、**喫煙者には新型コロナウイルスが侵入しやすくなっている可能性がある**ということです。

永江　WHOの緊急対応責任者であるマイク・ライアンさんも2月14日の会見で、「タバコがあらゆる呼吸器感染症の悪化要因であることは言うまでもない。今回も例外ではないだろう」って言ってたそうですね。

田淵　そうですね。また、世界でも有名な医学雑誌『NEJM』で発表された新型コロナに関する最新の論文[14]のデータによると、喫煙者は非喫煙者よりも重症化およびICU管理や人工呼吸器装着もしくは死亡するリスクが大きいようです。多変量調整できていませんが、喫煙者および過去の喫煙者は非喫煙者と比べて、重症化リスクが約2倍、人工呼吸器装着や死亡のリスクが約3倍高いようです（論文本文には喫煙に関する言及がなく、その点は残念ですが）。

できることのひとつとして、咳エチケットや不特定多数が集まる場に行かない、軽症なら病院に行かないなどに加えて、禁煙してもらえればと思います。

永江　インフルエンザも、喫煙者のほうが発症リスクは高いんですよね？

田淵　はい。インフルエンザと喫煙の関係については、もういくつも研究があります。２０１９年に発表されたイギリスの論文では、確定例を対象にインフルエンザ発症リスクを比較したところ、喫煙者の発症リスクは非喫煙者の５・６９倍だということが明らかになっています。[15]それに、過去のコロナウイルスであるＳＡＲＳ（重症急性呼吸器症候群）やＭＥＲＳ（中東呼吸器症候群）でも喫煙者は重症化しやすく、感染しやすいことがわかっています。

藤原　喫煙って、本当にありとあらゆる疾患に影響してるんですね。

田淵　そうですね。第1章でもお話ししたように喫煙はさまざまながんの危険因子であることがわかっています。それから、糖尿病との因果関係も明らかになっています。ここで全部の病気をあげたりはしませんが、**喫煙はあらゆる病気のリスクを高めているといっても言いすぎではない**と思います。

永江　もう、コロナが恐いなら「タバコをやめろ！」と思いますね。「コロナ恐い」って言いながらタバコ吸うのって、「強盗が恐い」って言いながら裸で札束持ってニューヨークのダウンタウンを歩くようなものですよ（笑）　コロナで重症化するリスクを減らすためにも、まずはタバコをやめるべきだと思います。

田淵　東京都医師会による新型コロナウイルス感染症対策のリーフレットにも、「こまめに石けんで手洗い」「人混みにはなるべく行かない」などと並んで「重症化しないようタバコはやめる」と書かれています。喫煙者のほうが、新型コロナウイルスが侵入しやすいので、タバコをやめることは重症化を防ぐだけでなく感染予防にもなるのです。

永江　なるほど。たとえ今回コロナにかからなかったとしても、こういうウイルスって定期的に流行するじゃないですか。喫煙し続けるということは、また未知のウイルスが出てきてパンデミックが起きた時に、重症化するリスクが高くなるでしょうから、今すぐにでもやめるべきですよね。

田淵　そうなんです。また、「長年タバコを吸ってきた自分は、もう肺や呼吸器が傷ついているだろう。だから、今さらタバコをやめても意味がないんじゃないか」と思っている人が多いと思いますが、早くやめればやめるほど効果があります。

永江　あ、そうなんですか？

田淵　はい。もちろん長年吸っている人ほどダメージを修復するのに時間がかかります。特に肺がんになるリスクを非喫煙者と同じレベルにするには、禁煙してから15年ほどかかるものです。でも、ニコチンなどによる免疫系への悪影響というのは、実は禁煙して数週間でなくなることがわかっています。[16]

図表 2-1　喫煙後の健康改善について

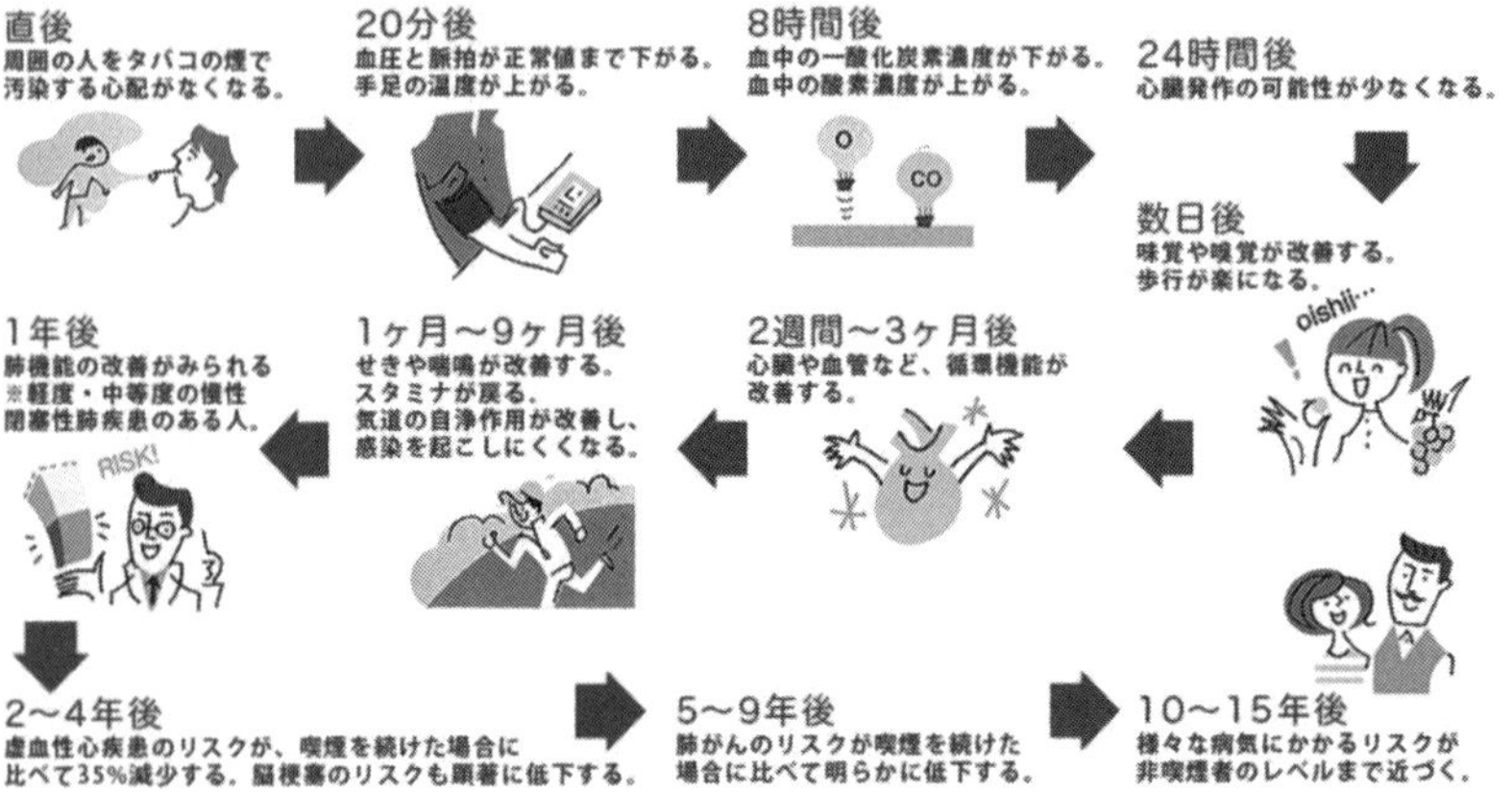
直後
周囲の人をタバコの煙で汚染する心配がなくなる。
20分後
血圧と脈拍が正常値まで下がる。手足の温度が上がる。
8時間後
血中の一酸化炭素濃度が下がる。血中の酸素濃度が上がる。
O
CO
24時間後
心臓発作の可能性が少なくなる。
数日後
味覚や嗅覚が改善する。歩行が楽になる。
oishii…
2週間～3ヶ月後
心臓や血管など、循環機能が改善する。
1ヶ月～9ヶ月後
せきや喘鳴が改善する。スタミナが戻る。気道の自浄作用が改善し、感染を起こしにくくなる。
1年後
肺機能の改善がみられる
※軽度・中等度の慢性閉塞性肺疾患のある人。
RISK!
2～4年後
虚血性心疾患のリスクが、喫煙を続けた場合に比べて35%減少する。脳梗塞のリスクも顕著に低下する。
5～9年後
肺がんのリスクが喫煙を続けた場合に比べて明らかに低下する。
10～15年後
様々な病気にかかるリスクが非喫煙者のレベルまで近づく。

出典：厚生労働省 生活習慣病予防のための健康情報サイト
https://www.e-healthnet.mhlw.go.jp/information/tobacco/t-08-001.html?fbclid=IwAR2R6b40tMDhAohrdcPZJZrV0ft7Pj9XuB908QFIL0EdbLK5FfGBkCD9EvI

図表2‐1は、禁煙後にみられる健康改善について厚生労働省がサイトに載せているものです。

永江　こうして見ると、非喫煙者と同じくらい健康になるにはやっぱり何年もかかるけど、禁煙してから数週間程度でも身体のさまざまな機能は改善されるんですね。

田淵　はい。身体の免疫機能を下げるニコチンは、タバコをやめてから3日でほとんど体内から抜けます（ニコチンによる離脱症状もこのタイミングで起きるということです）。そして、**タバコをやめて1週間程度で免疫機**

能が回復するのです。

新型コロナウイルスというのは、免疫などに対する短期的な影響でかかりやすいものですから、比較的**短期間の禁煙でも効果がある**と思われます。

02

「タバコと肺がんは関係ない」を論破

データを見てもわからないなら、せめてSNSでちゃんとした情報を発信する人をフォローしておこう。

永江　タバコの有害性について話してきたわけですが、世の中にはまだまだ喫煙擁護派の人が多いですよね。非喫煙者でさえ、なぜか喫煙者に気を遣って「自分はタバコの煙大丈夫ですよ」っていうアピールをしたりしていますよ。先日もね、カフェで2人の男性のこんな会話が聞こえてきたんです。

喫煙者男（年上）「4月からの法律で、カフェやレストランなんかじゃタバコ吸えなくなるんでしょ？　君はタバコ吸うの？」

非喫煙者男（年下）「そうみたいですね。僕自身はタバコ吸わないですけど、一緒にいる人が吸ってるのは全然大丈夫ですね。僕は気にならないタイプです（ドヤッ）」

田淵　ああ、いますよね、そういうタイプ。自慢できることでもないんですが（笑）

藤原　喫煙者に気を遣う風潮はありますよね。わたしは、飲食店に入る時によく「ここって禁煙ですか?」って店員さんに聞くんですよ。禁煙のお店がいいから、禁煙かどうか確認してるんですけど、店員さんが「喫煙大丈夫ですよ!」とか「喫煙席ありますよ!」とか、すごくポジティブな感じで返答するんですよね。まるでこちらが喫煙席を探しているかのように返答するのはなんとかならないものかと。

田淵　わかります。禁煙かどうかの確認をすると、なぜか喫煙者だと思われますよね。

永江　それでね、さっきのカフェの2人組なんですけど、これまた喫煙者の相手に気を遣っているのか、非喫煙者男がこんなこと言ってました。

非喫煙者男(年下)「でも、タバコが本当に身体に悪いかどうかって、わかってないみたいですね。喫煙率は下がっているのに、肺がんの発生率が上がっているから、タバコと肺がんは関係ないって言われてるらしいですよ」

田淵　出ましたね、「タバコと肺がんは関係ない」論。

永江　そう！「喫煙率は下がっているのに、肺がんの発生率が上がっているから、タバコと肺がんは関係ない」っていう主張（デマ）が、すごく出回ってるんですよね。なんでかっていうと、喫煙擁護派の有名人がテレビ番組のなかでこういう主張をするんですよ。

「そこまで言って委員会ＮＰ」っていうテレビ番組知ってます？　毎回パネラーとかゲストを迎えて、政治や経済について討論するテレビ番組なんですけど、そこで以前「日本の受動喫煙対策は骨抜きだ」っていう討論があったんですよ。

田淵　もっともなテーマですね。

永江　そう。でもね、討論の結果、「日本の受動喫煙対策は骨抜きだ」って主張した方（アメリカ人のロバート・ゲラーさんっていうんですけど）が負けちゃったんですよ。討論相手が政治評論家の竹田恒泰さんで、まさに「喫煙率が下がっているのに、肺がんの発生率が上がっているから、タバコと肺がんは関係ない」って主張してたんです。

田淵　その主張で竹田さんのほうが勝てたんですか？

永江　竹田さんの口がうまかったんですよね（笑）「喫煙率が下がってきた」ことと「肺がん患者の人数が増えている」ことは、まあ事実としてあるわけじゃないですか。でも、喫煙と肺がんの発症までの「タイムラグ」についてはみんな知らないんでしょうね。だから、竹田さんの意見に騙されたんだと思いますよ。

田淵　なるほど。**喫煙を原因とするがんは、発症までに30年くらいかかりますから**ね。

永江　そうですよね。わたしの知り合いに、食道がんで50代のうちに亡くなった方がいたんですけど、彼は若い時にバーをやっていて、強い酒と喫煙を毎日していたらしいです。食道がんって、ほぼ喫煙者しかかからないみたいですけど、実際に発症して亡くなるまで30年かかってました。

図表 2-2　性別・年代別喫煙率の推移

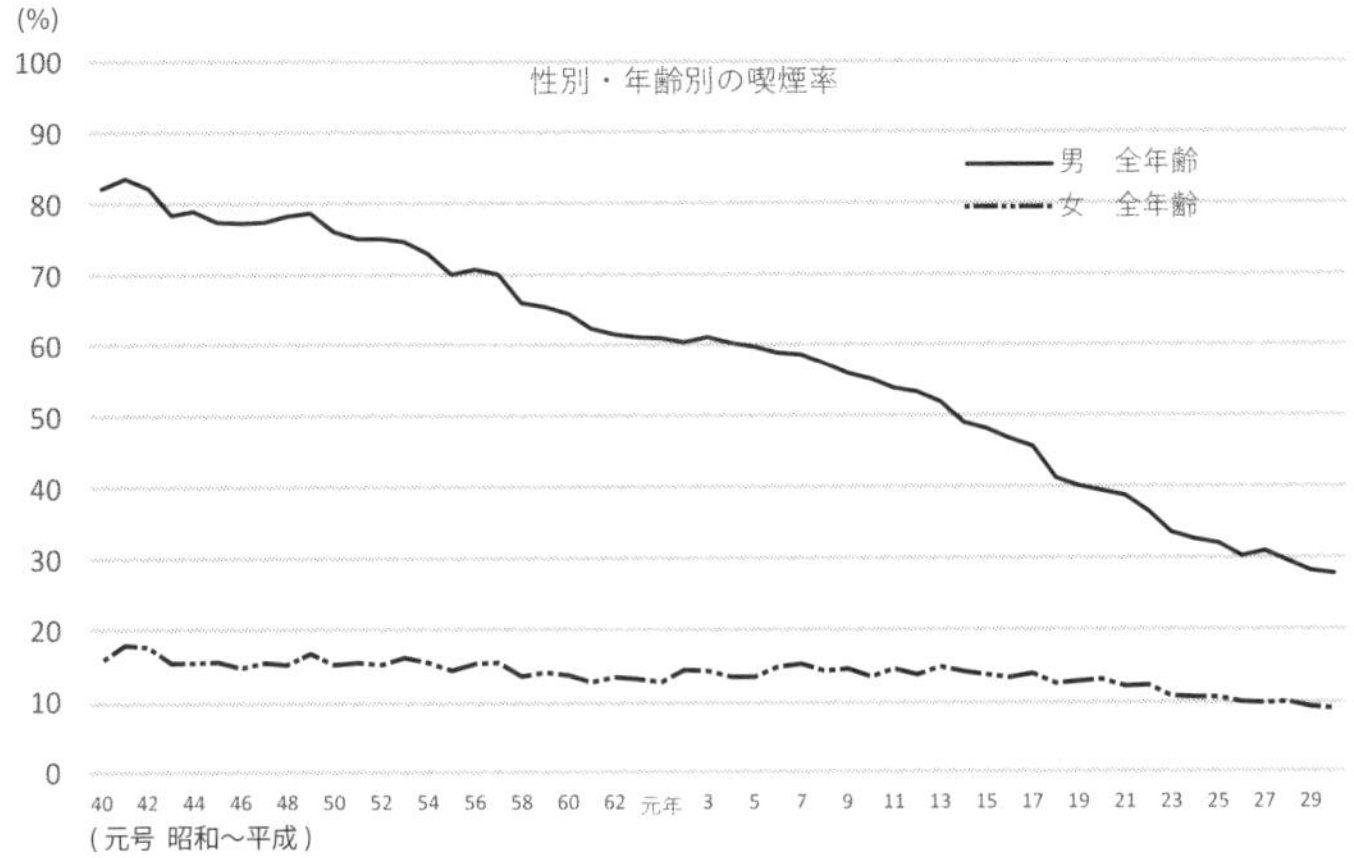

出典：公益財団法人 健康・体力づくり事業財団ウェブサイトを元に著者が作成
http://www.health-net.or.jp/tobacco/product/pd090000.html

田淵　そうだったんですね。そのタイムラグについてわかっていれば、「肺がん患者の人数が増えている」と聞いても、彼らのほとんどは約30年前からタバコを吸っていた人たちだということがわかります。

永江　そう。その証拠となるのが、喫煙率の推移を表した図表２‐２です。昭和40年頃の男性の喫煙率は80％超え。当時がんがんタバコ吸ってた人たちは、皆さん現在70歳以上……そう考えると、肺がん患者が多いのも納得でしょう。

藤原　しかも、この間に平均寿命は伸びていますからね。肺がん患者が増えてもおかしくないですね。

田淵　ちなみに、年齢調整した肺がん患者の人数は、過去の喫煙率の減少の影響によりすでに減ってきています。

永江　そうなんですね。それから図表2－3は、年代別のがん死亡割合のグラフです。これを見ると、高齢者ほど肺がんの比率が高いんですよね。特に、40年前に働き盛りだった層はめちゃくちゃ多い。数十年前に常習的に喫煙していたのが原因だというのは明らかでしょう。

図表 2-3　年齢部位別がん死亡数割合

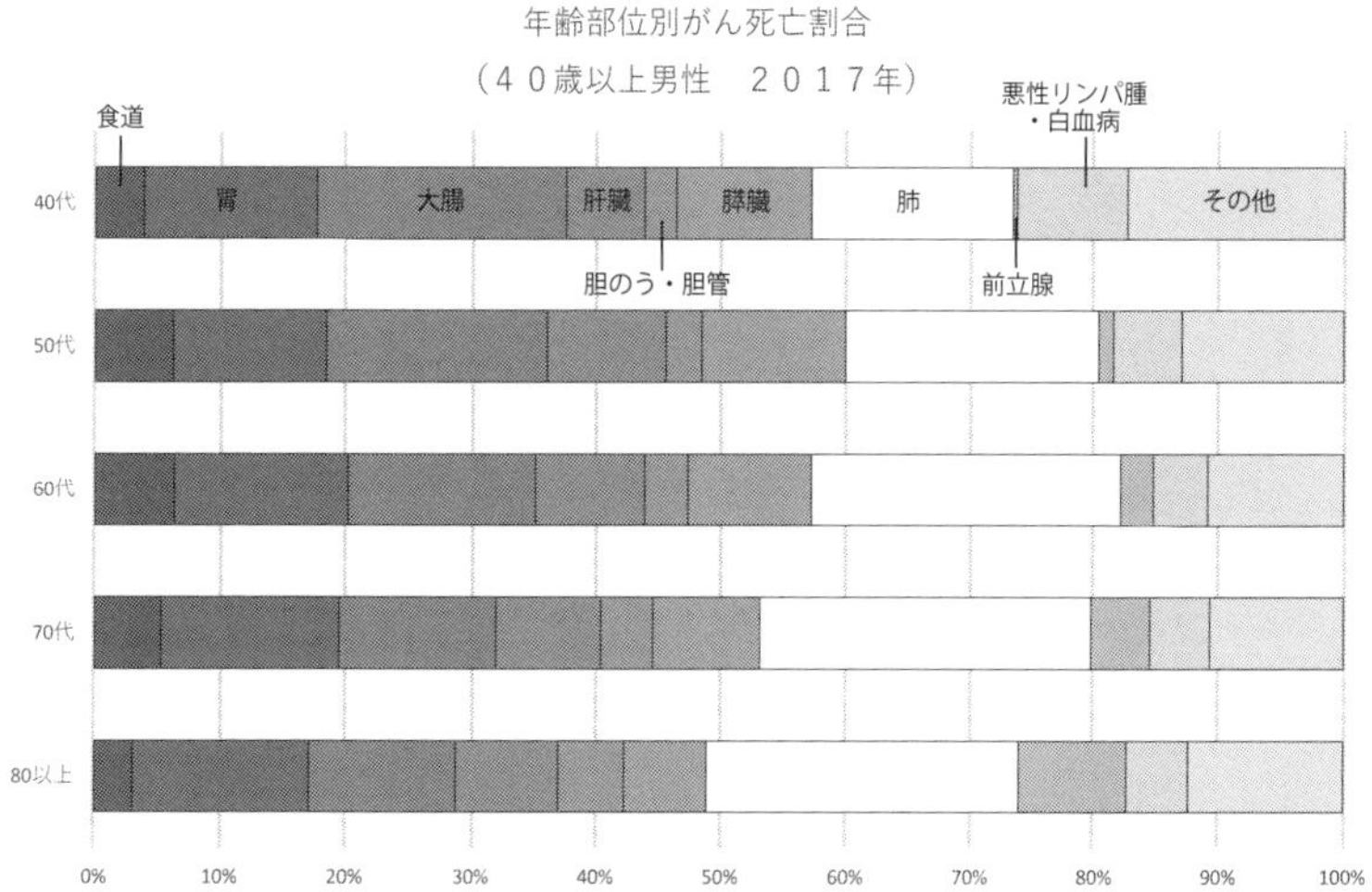

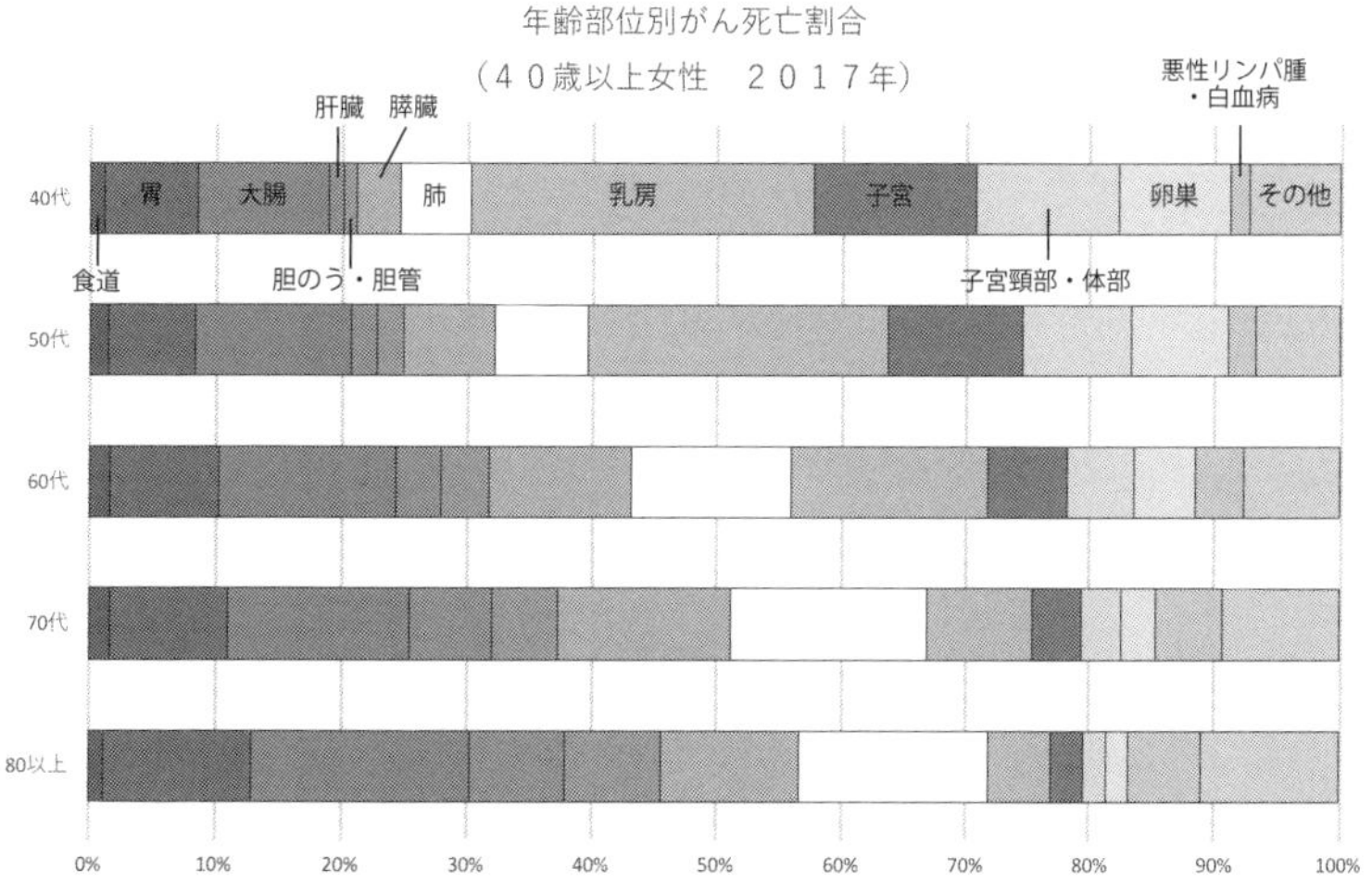

出典：国立がん研究センターがん対策情報センター「がん登録・統計」を元に著者が作成
https://ganjoho.jp/reg_stat/statistics/stat/summary.html

図表 2-4　部位別がん死亡数

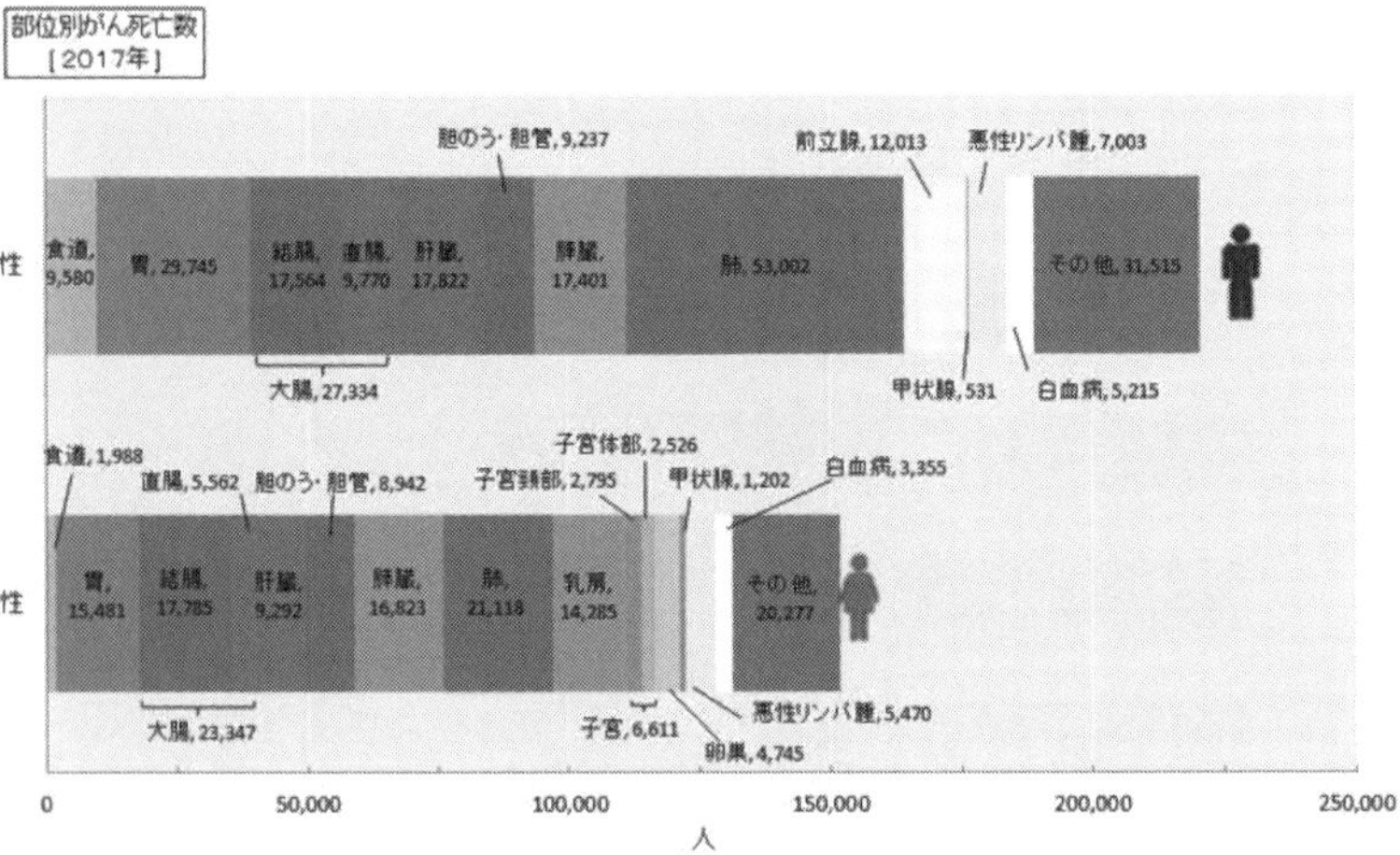

出典：国立がん研究センターがん対策情報センター「がん登録・統計」
https://ganjoho.jp/reg_stat/statistics/stat/summary.html

藤原　ちなみに女性はどうなんでしょう？　さっきの図表２‐２のグラフを見ると、昭和45年頃の女性の喫煙率は平均して15％程度だと思うんですが。

永江　図表２‐４のグラフを見ると、男性の肺がん死者数は５万２４３０人、喫煙率の低かった女性は２万１４０８人で、男性の半数以下ですね。

藤原　なるほど。女性は男性の半数以下ですけど、喫煙率の差ほど大きな差にはなってないですよね。肺がんにはいくつか種類があって、喫煙と関係が深いものとそうでないものがあると聞いたことがありますが――喫煙率の割に女性に肺がんが多いのは、喫煙と関係なくかかる種類の肺がんが原因ってことはないんでしょうか？

永江　それはわたしも聞いたことがあります。肺がんのなかで一番多いのが「腺がん」っていう種類のもので、肺がん女性の約7割が腺がんだそうですよ。で、この腺がんは非喫煙者でもかかる……というか、かかった女性のほとんどが非喫煙者だって聞きました。

田淵　いえいえ。「腺がんはタバコと関係ない」っていうのも、まやかしみたいなものですよ。だって非喫煙者であっても、そのほとんどの方が受動喫煙は受けているんですから。今の高齢の女性って、自分はタバコを吸ったことがなくても、時代的に周りの男性の80％以上がタバコを吸ってたわけでしょ？　そんな環境じゃ、家庭でも職場でも受動喫煙を避けられません。だから、女性の肺がん死者数が男性と比べた時の喫煙率の差ほど大きくないっていうのも、単に受動喫煙にさらされているからってことです。

永江　受動喫煙にさらされている時点で、非喫煙者としての純粋なデータは取れないってことですね。

田淵　そうです。第1章でも、紙巻タバコのせいで加熱式タバコの害がわからなくなってしまうって話をしましたけど、非喫煙者についても、受動喫煙のせいでいろんなことがわからなくなってしまっているんです。

永江　なるほどね。こういうふうに見ていくと、さっきの「喫煙率が下がっているのに、肺がんの発生率が上がっているから、タバコと肺がんは関係ない」っていう主張が、いかにおかしいかということがわかりますよね。

03
ニコチンによる乳幼児のショック死がショッキング

「望まない受動喫煙」という言葉は、「誰も望まない受動喫煙」と言い換えよう！

永江　受動喫煙で亡くなってる1万5000人のうち、70人以上が乳幼児だっていうのも、すごく深刻な問題だと思うんですよね。

田淵　これについては、比較的最近も研究が出ていて、出生直後に死亡した乳幼児（新生児を含む2歳未満）の血中のニコチンを検査した研究があります。[17] ニコチン検査で陽性だったのは、18例中7例。亡くなった赤ちゃんの38・9％が、体内でニコチンが検出されてるんです。

永江　それって、赤ちゃんの母親がタバコ吸ってたってことですか？

田淵　そうですね。ニコチンが検出された子は、母親がみんな喫煙者だったそうです。なかには、生まれた直後に亡くなっている赤ちゃんもいます。

永江　生まれた直後に亡くなってるんじゃ、原因は受動喫煙じゃないですよね。母親が妊娠中からタバコを吸っていたってこと？

田淵　そういうことになりますね。普段から喫煙する母親と、その胎児の血中ニコチン濃度は、ほぼ同程度だということがわかっています。**母親がヘビースモーカーだったら、お腹の中の赤ちゃんもヘビースモーカー並みの量のニコチンに曝露《ばくろ》されているってこと**です。

永江　それ恐すぎませんか⁉　母親のお腹の中にいる時点で、ヘビースモーカー並みにニコチンを摂取しているなんて……。

藤原　しかも赤ちゃんなんて身体が未成熟だから、大人と同量のニコチンにさらされて大丈夫なはずありませんよね？

田淵　もちろん大丈夫じゃないですよ。胎児でなくても生まれたばかりの新生児は、ニコチンを代謝するのに大人の約10倍～30倍の時間がかかるんです。ですから、母親がタバコを吸った直後に授乳すると、子どもの体内でニコチンが蓄積されやすくなります。それによって有害な作用が強く現れたりもします。

永江　これは、本当に子どもが可哀想。たとえ死に至らなくても、それだけニコチンにさらされたら、何かしらの障害を起こしてもおかしくないですよね？

田淵　はい。授乳時のニコチンによって、乳幼児の睡眠時間が短縮されたり、自律神経の調節に影響があったり、といった報告がありますね。また、タバコ煙に含まれる化学物質のなかで、ニコチンと一酸化炭素は生理機能に影響を及ぼすと言われています。

永江　ニコチン入りの母乳を飲まされてきた結果、キレやすい子に育ってしまって……挙句の果てに、親が「うちの子はキレやすくて困る」とか言ったりするんですよ。誰のせいだよ、って感じですね。子どもはただの被害者。

藤原　ちなみに、「母乳じゃなくて粉ミルクで子育てしているけれど、家族に喫煙者がいる」といった家庭では、乳幼児の被害はどのくらいなんでしょうか？

田淵　先ほどの研究では、人工乳のみで育てられていた乳幼児の体内からニコチンは検出されませんでしたが「コチニン」が検出されました。コチニンというのは、ニコチンが体内で代謝された時にできる物質ですから、ニコチンに曝露されていたことには変わりありません。ちなみに乳幼児の体内から検出されたコチニンの血中濃度は、大人の非喫煙者が受動喫煙した場合と同程度か、それより少し高かったようです。

藤原　なるほど。でも、たとえニコチンの濃度が低くても、安心なんかできませんよね。ニコチン以外にもたくさんの有害物質が含まれているわけで。

田淵　そうですね。副流煙には、４０００種類以上の化学物質が含まれています。これらの含有量は、実は主流煙よりも多いんですよ。

永江　**タバコを吸ってる本人よりも、周りにいる人間のほうが多くの有害物質にさらされているって**、本当に迷惑でしかないですよね。やっぱり受動喫煙は絶対に防ぐべき。それなのに、ひとのときを想うＪＴは「吸う人も吸わない人も心地よい共存社会」

とか言ってますからね、ふざけてますよ。タバコを吸う人は共存したいかもしれないけど、吸わない人は共存したいなんて全く思ってませんから!

藤原　そうです。吸う人と吸わない人の関係って、一方的に譲らせる側と一方的に譲らされる側の関係ですからね。おまけに、その立場が入れ替わる可能性が全くありません。たとえば運転者と歩行者との関係とは決定的に異なります。こうした構図は「共存」とは呼べません。喫煙者にも「吸う権利」があるっていう意見もありますけど、およそ他人に有害物質を吸わせることが正当化されることはありません。

ＪＴのキャッチコピー
「吸う人も吸わない人も
心地よい共存社会へ」
…っておかしくない？
吸わない人が一方的に
被害にあうのが共存なの？

04

喫煙とイライラの密接な関係

どけ!
喫煙者がタバコを吸うと
有害物質のニコチンを
体内に取り込んでしまう。
ふぅー
ニコチンは
イライラを誘発!
だからタバコと
あおり運転は
関係があるのだ
ブツブツ
ブツブツ
ブツブツ
ブツブツー…
ブツーー!!
いい加減に
しろー!
分煙の何が悪い!?
あぁ…
また吸いたく
なってきた…
ふぅー〜
喫煙しないと
情緒不安定
だなんて…
秘書って
つらい・・

タバコのニコチンは、冷静さを保つセロトニンを抑制するので、喫煙することでイライラしたり気持ちが不安定になったりしやすい。反対に、禁煙するとストレスが減り、精神状態も改善することがわかっている。

永江　ここ数年、よく問題になってる「あおり運転」ってあるじゃないですか。これって、タバコが原因のひとつになっていると思うんですよね。

藤原　2017年、東名高速道路で夫婦を死亡させたあおり運転の事件でも、逮捕された人は直前までタバコを吸っていましたね。

永江　そうそう。あの事件は、逮捕された被告人がパーキングエリアで他の車の通路をふさぐような形で駐車して、タバコを吸っていたところから始まってるんですよね。

藤原　たしか、亡くなった男性が被告人の駐車位置について注意したんですよね。そうしたら、被告人がそれにカチンときて、文句を言うために男性の車を猛スピードで追いかけた。

永江　それで、男性の車は被告人に執拗なあおり運転を受けて、追い越し車線に無理やり停止させられた。その結果、追い越し車線に停車中に、後から来たトラックに追突されて、男性とその奥さんが死亡。2人のお子さんは助かったけど負傷。

藤原　ひどい話ですよね。自分でルールを違反して、他人に迷惑をかける場所に駐車しておきながら、注意されて「カチンときた」っていうのがおかしいですよ。

永江　そう。タバコを吸ってるとキレやすくなるんじゃないかなって思うんですよ。

田淵　それはあります。タバコに含まれているニコチンを常に摂取してると、しあわせホルモンなんて呼ばれている脳内物質「セロトニン」を、自分で分泌する能力が低下するんです。セロトニンって、精神の安定や平常心を保つのに欠かせない物質なんですよね。セロトニンが不足すると、精神が不安定になったり、イライラして暴力的になったり、反対にうつ状態になったりするんです。

永江　タバコに含まれるニコチンが、イライラを誘発してるってことですね。

田淵　そうですね。それと同時に、ニコチンを摂取するとドーパミンが放出されます。ドーパミンは快楽に関係する脳内物質ですから、そのドーパミンの放出で強い快感を得られるんです。

永江　普段からタバコを吸いまくってる人は、ニコチンが切れてくるとどんどんイライラしてくる。でも、自力でセロトニンを作って精神を安定させることができないから、快感を求めてまたタバコを吸う……。

田淵　そうです。タバコがやめられない人は大体「**ニコチン依存症**」になっています。認識していない人が多いのですが、**ニコチン依存症は立派な「病気」**なんです。ニコチン依存症を治療する禁煙治療は、保険診療の対象になっています。

永江　わたしの知り合いにね、かなり重度のニコチン依存症の方がいたんです。孫が生まれた時に、娘に「禁煙しないと孫には触れさせない」って言われたらしく、彼は一念発起して禁煙治療を始めたんですよ。はじめは、禁煙治療の看板を掲げてる近所のクリニックに通っていたらしいんですけど、そういうところって基本的にニコチンパッチで治療していくんですよね。でも、彼はかなり重度の依存症だったから、ニコチンパッチだけじゃ全然よくならなくて、そのうちうつ状態になっちゃったそうなんです。イライラが止まらなくなって手が震えてきちゃったり、怒鳴り散らして毎晩眠れなかったり。眠っても変な夢ばかり見るし、ご飯食べても戻しちゃうらしくて、そのうち喋らなくなっちゃって……。

田淵 たしかに、重度の依存症の方だと、ニコチンからの離脱症状がきついこともありますね。

永江 もう壮絶だったそうです。それで、わたしが知り合いの禁煙学会の先生に連絡して、「この人なら！」っていう先生を紹介してもらったんですよ。その先生は心理療法士の資格を持っている方で、その先生のところに通うようになってから見事2ヶ月で禁煙できたそうなんです。

藤原　それはがんばりましたね。心理療法が重要なんですか？

田淵　永江さんの知り合いの方のように、離脱症状がひどいとうつ状態になることもあります。そのような場合には心理療法が有効になるんでしょうね。ニコチンパッチを渡して「これ貼っておいて」だけじゃ、不眠とか食欲不振、吐き気といったところの苦しさまでカバーできませんからね。

永江　ただ、禁煙治療をやっている先生で、心理療法士の資格を持ってる人っていうのは本当に少ないんですって。だから、離脱症状のひどい人たちがみんな適切な治療を受けられるかっていうと難しいですね。とはいえ、ヘビースモーカーであっても、ニコチンパッチなどで比較的スムーズに禁煙できる人もいますよね。こうした差があるのってどうしてなんでしょう？

田淵　すんなり禁煙できた人って、簡単に再発しそうな気もします。タバコの危険性や、喫煙者がいかにタバコ会社から搾取されているのか――こうした事実について理解が不十分のままだと再発を防ぎにくいと思います。反対に、こういうことをきちんと理解したうえで禁煙できた人は再発の可能性が低くなると思いますよ。

永江　そうですね。しかも、「禁煙した」って言ってる人のなかには、紙巻タバコをやめただけで、加熱式タバコを吸ってる人も多い。なんかもう「禁煙」の定義が人によって違いますよね。

田淵　加熱式タバコが出てきたことで、ややこしくなっていますよね。改正健康増進法により加熱式タバコも喫煙室での使用に限られましたけど、「吸いながらの飲食が可能」だったりと、紙巻きタバコとは扱いが少し異なっています。そういうところから「加熱式タバコは例外」っていう雰囲気がどんどん出来上がってしまっていますよね。

藤原　そうですね。加熱式もただのタバコなのに。

田淵　それに、禁煙のステップとして加熱式タバコに切り替える人が多いんですけど、加熱式タバコに紙巻タバコの禁煙を促進するような効果があるとはわかっていません。
むしろニコチン依存症を維持する効果があると思いますよ。

タバコがないとイライラする生活ってふつうかな?
禁煙治療は医療保険の適用範囲。
しっかり治そう。

05

「喫煙者は採用しない」会社が増えていくかも?

「タバコを吸ったら頭がシャキとする」は、正しいけれども…
ヨッシャ!! 午後もヤルぞ!!
吸うと目が覚める…っていうだけ(笑)
タバコを吸っていない状態だと、眠気におそわれたり集中力低下してたり…
喫煙してないときはパフォーマンスが落ちてるって自覚ある?
タバコ休憩って何?
てめぇもトイレ休憩くらいするだろ!
…生理現象と中毒を比較するとはトンデモない
彼には辞めてもらうか…

タバコ休憩…
喫煙専用室の設置…
これらは余計なコスト。
今後、喫煙者を雇わない会社が増えてくるでしょう。
※喫煙の有無を採用の基準にするのは法律上問題なし!

永江　喫煙とイライラの関係が明らかになったところで、職場でのタバコ問題にも着目しましょうか。わたしとしては、タバコは単純にクサいから嫌なんですけど、よく問題になるのは「タバコ休憩は時間の無駄」とか「タバコによる集中力や能率の低下が作業効率を悪くしている」とかですね。

藤原　そうですね。そして、そういう意見に対して、タバコを吸う人は「タバコを吸うことで、頭をシャキッとさせてるんだ」なんて主張したりしますよね。

田淵　騙されていますね。タバコを吸わないと頭をシャキッとできない時点で、異常だということに気付いてほしいものです。
これは、喫煙時のアルファ波の変化を見るとわかりやすいでしょう。アルファ波というのは、精神的にリラックスしていて、頭の回転がよくなっている状態の時に出てくる脳波のことです。喫煙者の場合、タバコを吸うことでアルファ波が増えます。

図表 2-5　喫煙常習者の喫煙時の脳波変化

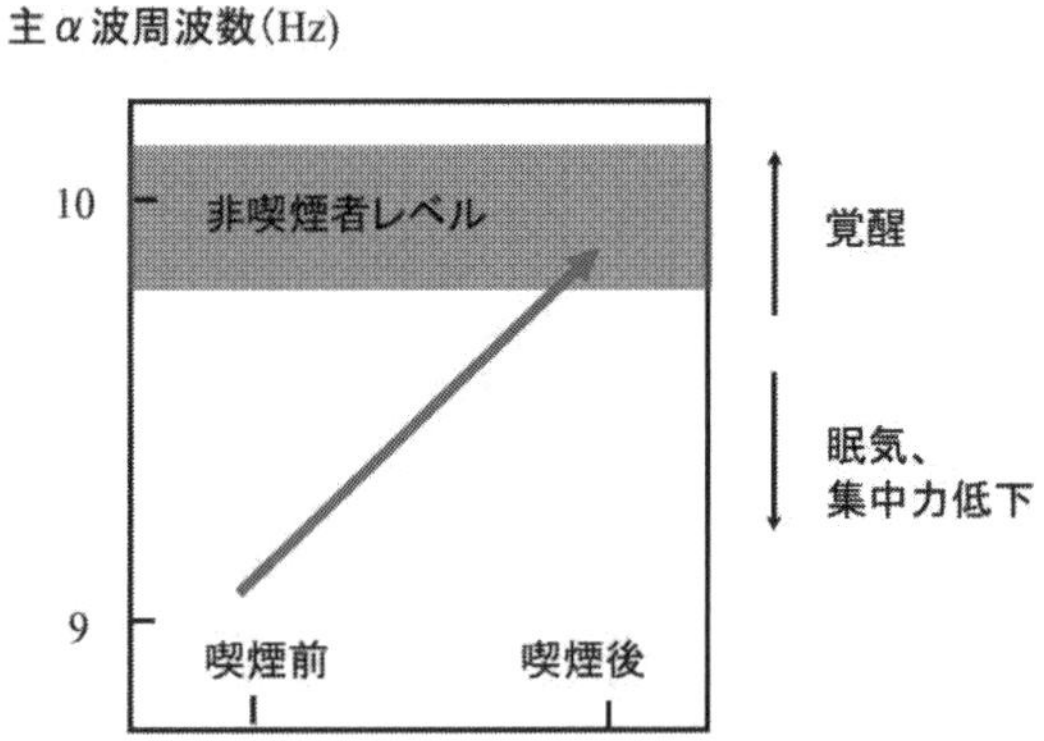

出典：東北大学 環境・安全推進センター 保健管理センター
「禁煙を考えている方へのサポート情報」
http://www.bureau.tohoku.ac.jp/anzen/occ_saf_heal_office/file/08-04-01.pdf

藤原　図表2-5を見ると、喫煙前が9ヘルツなのに対して、喫煙後に10ヘルツまで上がってますね。

田淵　はい。だから「タバコを吸うと頭がシャキッとする」のは本当なんですが、10ヘルツって非喫煙者のアルファ波と同程度なんです。つまり、タバコを吸うことでようやく**非喫煙者レベルの覚醒状態までに回復するだけ**なんです。喫煙者はタバコを吸わないと、非喫煙者並みに覚醒した状態にはなれないってことです。

永江　それって、「わたし、タバコ休憩がな

いと人並みに頭をシャキッとさせられないんです」って自分で言ってるようなもんですね（笑）

田渕　そうですね。タバコさえなければ、常に頭シャキッとしていられますから。

藤原　最近では**「喫煙者は採用しない」**っていう会社も出てきてますよね？

永江　そうですね。有名なところだと、ホテル業界の星野リゾート、製薬会社のファイザーやロート製薬、ソフトウェアのAcroquest Technology、半導体機器製造などのエムテックス マツムラ、スポーツクラブのセントラルスポーツなどがありますね。

特に、星野リゾートグループが喫煙者は採用しない、と発表したのは話題になりましたよ。「社員の禁煙は、作業効率、施設効率、職場環境の３つの要素において競争力を高めることになります」と断言しています。特に印象的だったのは、作業効率について「喫煙は能力を低下させるので、喫煙者は採用しません」と、バッサリ言っていたことですね。

喫煙者は血液中のニコチン含有量の減少により集中力を維持することができなくなります。私のホテル業界での経験の中で、スタッフの集中力を維持させるため、勤務時間中に喫煙をさせる対応を行っているケースを何度も見てきました。これはスタッフ本人の能力の問題ではなく、中毒症状という病理的な原因によるものであり、結果的に社員の潜在能力を低下させています。

藤原　これは企業として英断だと思いますね。従業員の採用選考にあたっては、公正さが求められており、たとえば年齢・性別・障害の有無などで差別してはいけないことになっています。ただ、喫煙の有無を採用選考の基準に入れることは、企業の裁量の範囲として認められるでしょう。実際、経営者側からしたら、タバコ休憩による損失はバカにできない問題ですよね。

永江　本当そうですよ。実は、タバコ休憩の損失については世界的に研究されてるんですよね。たとえば、1時間に1本のタバコを吸う場合、勤務時間中（9時〜17時だとして）に、タバコのための離席が5回あることになります。1回のタバコタイムが7分間だとすると、1日あたり35分間の労働時間ロスが生じます。製造業の場合、平均的な勤務日数は年間２４０日、時給は２２００円とされてますから、35分／日×２４０日×２２００円＝約31万円で、**1年間で約31万円という多額なロスが発生**するんです。

田淵　しかも、働き方改革が進んできているとはいえ、どの企業もまだまだ残業がありますから、実際にはこの研究よりも勤務時間はもっと長いでしょうし、それに従ってタバコ休憩ももっと多いと思いますね。

藤原　そうですね。残業して効率が悪くなればなるほど、イライラしやすいでしょうしね。

永江　それと、さっきのデータには、あくまで本人の労働時間効率の問題しか含まれていませんでしたが、実際には「顧客の離脱や失客」「耐えかねた非喫煙者の退職」「掃除のコスト」「喫煙所のコスト」「健康被害にあった人の効率の悪化」などがあるわけですよ。

藤原　実際の企業側としての本当の損失は、もっとずっと多いはずだということですね。

永江　そう。たとえば、事務機器などのメーカーであるリコーは、勤務時間中の喫煙を禁止しているそうなんですね。でも実際には、コピー機の営業にやってくる営業マンがタバコ臭く、コピー用紙にまで臭いが付いているということで、クレームの電話が来たそうなんです。その時は、部長本人が平身低頭で謝罪に行ったんですって。

田淵　なるほど。タバコが顧客管理にもたらす影響は大きいですね。しかも、わざわざ部長が謝罪に行かなければならないコストも発生している。

永江　そう。だから企業の利益率で考えると、喫煙者は年間100万～200万円相当の売上損失をしていると思いますよ。経営者というのは、利益と効率を追求する義務がありますから、星野リゾートグループが「作業効率」という観点から「喫煙者を採用しない」と決めたことは理にかなっていますよね。

藤原　そうですね。それから「施設効率」の観点からの主張も、もっともだと思います。

健康増進法の施行により、企業内の職場では分煙環境が必要になってきております。しかし、リゾート事業においては、少しでもスペースがあるなら顧客へのサービスにあてるべきです。
採算性の理由から厨房や作業用のバックスペースも節約している時に、社員の喫煙場所に投資するのは利益を圧迫することになります。

藤原　法律で喫煙室が認められるなら喫煙室を作ればいいじゃないか、っていう意見もあるとは思うんですけど、第１章でもお伝えしたとおり、喫煙室を作るのに約２００万円かかりますからね。

永江　企業競争力が必要な時に、タバコを吸わないと頭シャキッとさせられない喫煙者のために投資している場合じゃないですね。

田淵　単に喫煙者を雇わないというのではなく、喫煙者は禁煙すれば大丈夫だという観点も大切です。喫煙者は喫煙によって能力が低下させられてしまっていますが、禁煙することでその能力を取り戻せますからね。実際、喫煙者を雇用しないとしている会社は、社員の禁煙支援に熱心に取り組んでいるところが多いですよ。

06

タバコ会社のマーケティング戦略に乗せられている喫煙者が一番の被害者

数十年もの長い間、タバコの害をひた隠しにしてきた世界のタバコ産業。「分煙」なんて言葉を都合よく使って…マーケティングだけはとても優秀！

永江　頭をシャキッとさせる、というのと似ていますけど、喫煙者の多くが「ストレス解消のためにタバコを吸ってるんだ」って言いますよね。

田淵　そう言う人は、もう完全にタバコ会社の戦略に乗せられてしまっているんですよ。

藤原　どういうことでしょう？

田淵　たしかに、ニコチン依存症の人がタバコを吸うと、吸った瞬間はニコチンが補充されてニコチン欠乏ストレスが軽減するように感じます。「ニコチンが足りない、足りない」とイライラするニコチン欠乏ストレスは、タバコを吸わない人には全くない、タバコを吸うことによって発生するストレスです。ニコチン依存症になると、タバコを吸っている以外の時間は常にニコチン欠乏ストレス発生状態となってしまっています。そうすると、その状態が当たり前になりすぎて、それが異常なストレス状態だと気付きません。タバコを吸ってニコチンを補充することで、ストレスが軽減されたと勘違いさせられているのです。

タバコ会社はこのことをたくみに利用しました。「ストレス＝悪」というイメージを植え付け、「タバコを吸って、ストレスを解消しよう！」というストーリーをでっちあげたわけです。アメリカなどでは、訴訟によりタバコ会社の内部文書が公開されており、タバコ会社がストレス研究者にお金を渡して、意図的にこのストーリーをでっちあげた過程が明らかになっています。本当にひどい話です。

藤原　なるほど。そもそも、「ストレス＝悪」というのは極端すぎますよね。

田淵　そうなんです。今では「ストレスをためるな」「ストレスは発散しろ」なんて、まるでストレスが悪者のように言われていますけど、これはタバコ会社によって誘導された誤ったイメージです。もちろん極端なストレスはよくないですが、本来ストレスというのは、全くないよりも適度にあったほうがよいものです。適度なストレスはやる気につながったりしますよね？

永江　そうですね。ストレスに対する認識が、タバコ会社によって歪められていたとは。

藤原　「タバコ会社がストレス研究者にお金を渡して、意図的にこのストーリーをでっちあげた」ということですが、タバコ会社はタバコが身体に悪いということを認めているということでしょうか？

田淵　そうですね……タバコに害があるということは、1950年頃には世界でわかってきていました。でも、その当時すでにタバコの利権は巨大になっていて、タバコを擁護する勢力が強大化していたんですよね。そこで、世界のタバコ会社の幹部が集まって会議が開かれました。タバコ会社はその会議で、できるだけ多くの人々がタバコの害に気付かないように、これからもタバコを吸い続けてくれるよう仕向けられるように、戦略的なマーケティングをしていこうと決めたのです。今も同じ戦略がとられており、JTは堂々と受動喫煙の害を認めない態度をとっています。

永江　最低ですね。それで「タバコの害に気付かれないようにしよう作戦」は、どれくらい成果があったんでしょうか？

田淵　1964年に「米国公衆衛生総監報告」というタバコの有害性についての報告書（決定版のようなもの）が公開されたんです。この報告は影響力があって、欧米の高所得国ではこの頃から喫煙率が下がりはじめ、日本でも1960年代をピークに喫煙率は減少していきました。

藤原　では、その１９６４年の報告書によって、世界的に喫煙率は下がってきてるんでしょうか？

田淵　先進国の喫煙率は下がってきているのですが、１９６４年から50年以上が経った現在、世界のタバコの消費量総数は、残念ながら当時に比べてむしろ増えているんです。

永江　先進国での喫煙率が減少しているのは顕著だから、途上国での喫煙が増えているということ？

田淵　そうです。もともと、東南アジアやアフリカなどの国では、ほとんどタバコは普及していなかったんですけど、タバコ会社が世界中にマーケットを広げていったため、こうした国々で近年タバコが急激に普及したんです。しかも、世界の人口が増えていますから、タバコ消費量が増えているんです。

永江　タバコ会社は、世界のタバコマーケット維持のために、相当な予算をマーケティング活動に費やしてるんでしょうね。

田淵　はい。タバコ会社のマーケティングは本当に徹底してます。途上国では、以前欧米や日本で使ってきたようなマーケティングを駆使してタバコを売り込んでいます。そして、欧米や日本のように喫煙率が下がってきている先進国に対しては、「喫煙率が低下していくとしても、少しでもそのスピードを遅くさせよう」という戦略を用いています。

永江　なかなか情報が入ってきづらい途上国に積極的に参入したり、先進国に対しては、まるで健康被害がないかのような説明で加熱式タバコを広めたり……やり方が本当にあくどいですよね。

田淵　そうですね。イギリスの公共放送ＢＢＣで、こんなドキュメンタリーがあったんですよ。

１９８０年代はじめ、アメリカのタバコ会社がある有名人を自社広告のイメージキャラクターに起用したんです。ある日、彼がタバコを吸っているところを見て、そのタバコ会社の幹部が「なんだ、君タバコなんて吸うのか」と言ったそうです。彼が「吸わないんですか？」と聞き返したところ、幹部は「冗談じゃない」と首を振り、こう言い放ったそうですよ。「『喫煙権』なんざ、ガキや貧乏人、黒人やバカにくれてやるよ」と。

永江　うわ……。

田淵　ひどい話ですよ。他にも、億単位でお金をもらっているようなタバコ会社の役員が、自分の大学生の息子がタバコを吸っていたのを、折檻してやめさせたっていう話を聞いたことがあります。

永江　つまり、タバコの有害性をわかってるから自分自身は吸わないし、家族にも吸わせたくないってことでしょ？　有害物質の塊だってわかってるものを、なんで他人には売れるんですかね……信じられないですよ。

田淵　そうですね。こうしたタバコ会社のマーケティング戦略を知ると、喫煙者はその戦略に乗せられている被害者だっていうのがよくわかります。

※この4コマ漫画は実話を元に作成いたしました

タバコ会社は表向きは子どもにタバコを売らないとしながら、巧みな言葉使いでタバコを宣伝。子どもに喫煙させることを仕事にしている。タバコ会社主催の未成年喫煙防止活動は、かえって喫煙者を増やすと指摘されている。

第2章　脚注

13　“Tobacco-Use Disparity in Gene Expression of ACE2, the Receptor of 2019-nCov”
https://www.preprints.org/manuscript/202002.0051/v1

14　“Clinical Characteristics of Coronavirus Disease 2019 in China”
https://www.nejm.org/doi/full/10.1056/NEJMoa2002032

15　“Cigarette smoking and the occurrence of influenza – Systematic review”
https://www.journalofinfection.com/article/S0163-4453(19)30254-3/abstract

16　Lawrence G. Miller, et al., “Reversible Alterations in Immunoregulatory T Cell in Smoking: Analysis By Monoclonal Antibodies and Flow Cytometry.” CHEST, Vol.82, Issue5, 526-529, 1982

17　西村拡起、古宮淳一、橋本良明「新生児および乳幼児剖検例のニコチン分析」『日本小児禁煙研究会雑誌　3巻2号　55～61（２０１３年）』

第3章

今どきタバコなんて「ダサい」から、タバコをやめてもらおう！

外で見かける喫煙者って、ダサい人が多くない？

01

タバコ会社のターゲットにされているのは社会的弱者

勉強なんて必要ねぇ！
ヒャーハハ
10数年後…
あいつ、マジむかつく！辞めてやる！
また職探し？
おなかすいたら…
仕事が続かないから生活が苦しい
一本くれ！
おにぎり1コだけ？
…タバコ辞めたら月に数万円は浮くでしょうに…。

「男女とも低所得者ほど喫煙率が上がる」。喫煙していると、周りの交友関係も喫煙者だらけに…。喫煙が呼ぶ負の連鎖が恐ろしい…。

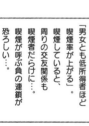

永江　タバコをやめさせるにはどうすればいいか——ここまで、法律の観点や健康被害の観点から話をしてきましたけど、わたしとしては、単純にタバコを吸ってると印象が悪くなるからやめたほうがいいんじゃないかな、と思うんですよね。

前にも言いましたが、煙モクモクやってる人たちって、偏差値が低くて貧乏なイメージがあって、ダサい感じしません？

田淵　そういうイメージになってきていると思います。これはタバコ産業が、社会経済的に恵まれない状況の若者を主なターゲットにしてきたからなんです。世界のタバコ産業があの手この手を駆使して、情報弱者を囲い込むようなマーケティング活動や、喫煙を女性解放のシンボルとして印象づける作戦を使って、特に低学歴で社会経済的に不利な者や若い女性にタバコを吸わせるように仕向けてきたんです。

藤原　なるほど、タバコ産業のマーケティング戦略の結果だということですね。

図表 3-1　性年齢階級別の学歴に応じた喫煙率

表 1　性年齢階級別の学歴に応じた喫煙率 (%と 95%信頼区間) : 2010 年国民生活基礎調査

年齢 (years)	25-34	35-44	45-54	55-64	65-74	75-84	85-94	Total
男性								
中卒	68.4 (66.0-70.6)	66.4 (64.2-68.5)	57.8 (55.6-60.0)	44.8 (43.5-46.0)	27.6 (26.7-28.6)	16.5 (15.6-17.3)	11.3 (10.0-12.8)	34.0 (33.5-34.6)
高卒	55.9 (54.9-56.8)	54.9 (54.1-55.7)	50.6 (49.8-51.4)	40.2 (39.4-40.9)	24.1 (23.3-24.9)	15.9 (15.0-16.9)	9.2 (7.4-11.2)	42.5 (42.2-42.9)
専門学校卒	49.5 (47.9-51.1)	48.0 (46.4-49.6)	45.7 (43.7-47.8)	38.0 (35.6-40.4)	24.2 (20.8-27.8)	11.0 (7.6-15.2)	NS	44.4 (43.5-45.3)
短大卒	46.8 (43.5-50.1)	45.4 (42.5-48.3)	42.3 (39.4-45.3)	31.6 (28.6-34.7)	19.7 (15.9-23.8)	12.4 (9.4-16.0)	8.8 (4.3-15.7)	36.8 (35.4-38.1)
大学卒	36.5 (35.4-37.6)	35.8 (34.8-36.7)	35.1 (34.1-36.0)	31.4 (30.4-32.4)	19.7 (18.5-21.0)	11.2 (9.7-12.9)	8.5 (5.4-12.6)	32.2 (31.8-32.7)
大学院卒	19.4 (17.2-21.9)	17.1 (15.0-19.4)	16.8 (14.3-19.5)	16.6 (13.7-20.0)	12.2 (7.9-17.7)	NS	NS	17.3 (16.1-18.5)
Total	47.9 (47.3-48.5)	47.4 (46.9-47.9)	44.4 (43.8-44.9)	38.2 (37.7-38.7)	24.4 (23.9-25.0)	15.5 (14.9-16.1)	10.3 (9.3-11.4)	37.8 (37.6-38.1)
女性								
中卒	49.3 (46.3-52.3)	47.5 (44.5-50.4)	27.4 (25.0-29.9)	13.1 (12.3-14.0)	5.7 (5.3-6.1)	3.1 (2.8-3.4)	1.9 (1.6-2.4)	8.9 (8.6-9.2)
高卒	23.9 (23.0-24.8)	21.5 (20.9-22.2)	16.4 (15.8-17.0)	8.1 (7.8-8.5)	4.1 (3.7-4.4)	2.1 (1.8-2.4)	1.5 (1.0-2.1)	12.5 (12.3-12.7)
専門学校卒	17.5 (16.4-18.6)	16.1 (15.1-17.1)	14.2 (13.1-15.3)	9.6 (8.6-10.7)	4.2 (3.2-5.4)	2.8 (1.6-4.5)	1.1 (0.1-4.1)	13.7 (13.2-14.2)
短大卒	10.3 (9.4-11.1)	7.3 (6.8-7.9)	7.5 (6.9-8.2)	5.8 (5.1-6.6)	2.8 (1.9-3.9)	0.9 (0.2-2.2)	0.9 (0.0-4.7)	7.4 (7.0-7.7)
大学卒	6.6 (6.0-7.3)	5.7 (5.1-6.4)	6.1 (5.4-6.9)	5.7 (4.9-6.7)	3.7 (2.6-5.2)	3.9 (2.0-6.6)	NS	6.0 (5.6-6.3)
大学院卒	4.8 (2.9-7.4)	2.0 (0.7-4.3)	5.3 (2.3-10.2)	NS	NS	NS	NS	4.0 (2.8-5.4)
Total	16.9 (16.5-17.4)	15.9 (15.6-16.3)	13.5 (13.1-13.8)	8.6 (8.3-8.9)	4.7 (4.4-4.9)	2.6 (2.4-2.9)	1.8 (1.5-2.1)	10.5 (10.4-10.6)

略語: NS, not shown because fewer than 100 in sample.

出典：厚生労働科学研究費補助金（循環器疾患・糖尿病等生活習慣病対策総合研究事業）分担研究報告書「日本における喫煙の学歴格差」

https://www.pbhealth.med.tohoku.ac.jp/japan21/pdf/o-27-13.pdf

田淵　そうです。実際、**低学歴になるほど喫煙率は高くなっています。**中卒や高卒の喫煙率が高くて、大卒や大学院卒では低い。特に若い女性ほど、その差が顕著に出てるんですよ。

永江　しかも、学歴は所得にも大きく関係してきますからね。もちろん、中卒でもすごく稼いでる人もいれば、高学歴でもニートの人もいますけど、統計的には学歴が低くなるほど所得も下がる。

藤原　人は自分の周囲の人に影響を受けますから、家族や親族、学校や職場の仲間がタバコを吸っていたら、そりゃ自分も吸いやすくなりますよね。

図表 3-2　学歴、性、年齢階級別賃金、対前年増減率及び年齢階級間賃金格差

平成30年

性、年齢階級		大学・大学院卒 賃金（千円）	大学・大学院卒 対前年増減率（%）	大学・大学院卒 年齢階級間賃金格差（20～24歳=100）	高専・短大卒 賃金（千円）	高専・短大卒 対前年増減率（%）	高専・短大卒 年齢階級間賃金格差（20～24歳=100）	高校卒 賃金（千円）	高校卒 対前年増減率（%）	高校卒 年齢階級間賃金格差（20～24歳=100）
男	年齢計	400.5	0.7	174.1	313.8	0.9	151.2	291.6	0.3	144.7
	～１９歳	–	–	–	–	–	–	180.7	0.7	89.7
	２０～２４	230.0	1.3	100.0	207.5	1.6	100.0	201.5	0.2	100.0
	２５～２９	263.8	0.0	114.7	236.2	0.3	113.8	227.9	−0.5	113.1
	３０～３４	321.1	−0.1	139.6	266.3	−0.3	128.3	255.7	0.5	126.9
	３５～３９	373.9	0.9	162.6	297.2	−0.8	143.2	281.4	−0.4	139.7
	４０～４４	426.4	−0.1	185.4	331.7	1.3	159.9	308.1	−1.3	152.9
	４５～４９	486.1	−0.1	211.3	371.1	0.0	178.8	331.5	0.6	164.5
	５０～５４	535.1	0.3	232.7	401.1	0.3	193.3	352.6	0.4	175.0
	５５～５９	522.8	1.9	227.3	397.0	0.1	191.3	352.0	1.7	174.7
	６０～６４	378.4	1.3	164.5	292.3	2.1	140.9	256.8	1.4	127.4
	６５～６９	374.9	−0.4	163.0	255.2	−1.4	123.0	224.4	0.0	111.4
	７０～	447.8	−6.2	194.7	254.7	7.6	122.7	212.3	−2.5	105.4
	年齢（歳）	42.4			41.3			44.8		
	勤続年数（年）	13.3			12.8			14.3		
女	年齢計	290.1	−0.5	129.6	258.2	1.3	124.9	212.9	0.9	115.1
	～１９歳	–	–	–	–	–	–	173.1	2.2	93.6
	２０～２４歳	223.8	1.5	100.0	206.8	2.8	100.0	184.9	0.9	100.0
	２５～２９	247.5	1.2	110.6	225.2	1.5	108.9	197.0	1.8	106.5
	３０～３４	274.7	0.2	122.7	240.2	1.3	116.2	203.1	0.6	109.8
	３５～３９	301.1	−0.5	134.5	253.6	0.4	122.6	208.9	−0.9	113.0
	４０～４４	332.3	−1.3	148.5	267.6	0.9	129.4	219.4	1.2	118.7
	４５～４９	355.7	−3.6	158.9	282.9	1.2	136.8	227.6	2.0	123.1
	５０～５４	391.6	1.9	175.0	289.1	0.3	139.8	228.1	0.4	123.4
	５５～５９	382.3	0.6	170.8	288.2	0.6	139.4	230.8	2.2	124.8
	６０～６４	345.0	−1.7	154.2	251.2	−2.8	121.5	195.1	−1.0	105.5
	６５～６９	347.9	−24.1	155.5	246.1	0.4	119.0	189.0	−4.5	102.2
	７０～	401.5	2.8	179.4	264.1	−5.5	127.7	202.1	−3.5	109.3
	年齢（歳）	35.8			41.6			44.8		
	[illegible]	[illegible]			[illegible]			[illegible]		

出典：厚生労働省「平成 30 年賃金構造基本統計調査の概況」

https://www.mhlw.go.jp/toukei/itiran/roudou/chingin/kouzou/z2018/dl/13.pdf

永江　そうですね。残念ながら子どもは親を選べない……。頭が悪くてタバコ吸いまくりの親を持っても、努力して社会的に這い上がってく子どももいるかもしれないけど、それってそんなに簡単なことじゃない。そもそも中卒の親の場合、高校進学さえ考えておらず、子どもを勉強に向かわせようとすることもなかったり、幼い弟妹の世話や家事をやらせていたり……子どもが落ち着いて勉強できるような環境がないような家庭もあるんですよね。

図表 3-3　喫煙率と世帯収入の関係

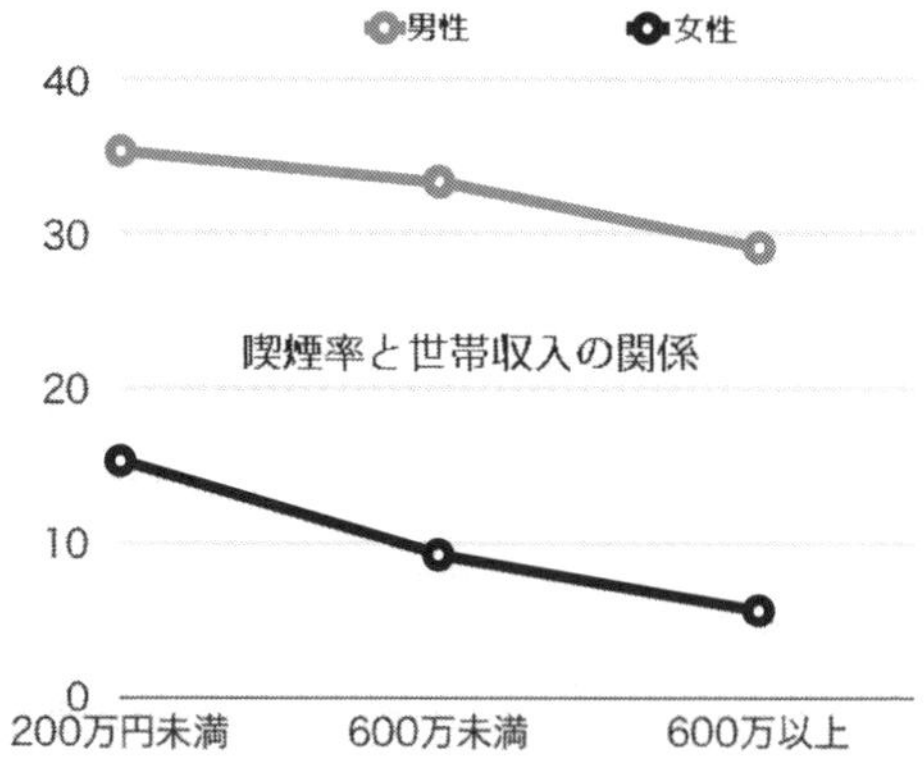
男性
女性
40
30
20
10
0
喫煙率と世帯収入の関係
200万円未満
600万未満
600万以上

出典：厚生労働省 平成 26 年国民生活基礎調査を元に著者が作成
https://www.landerblue.co.jp/31869/

田淵　でも、そういう親に限って、自分のタバコ代は捻出していたり……。

永江　そう。**世帯収入が低くなるほどお金がないはずなのに、喫煙率は上がっているんですよね。**特に母親が顕著。世帯年収６００万円を超える家庭における母親の喫煙率が５・６％なのに対して、４００万円以下の家庭になるとその３倍の15・３％にもなります。[18]

藤原　タバコをやめて、浮いたお金を子どもたちの教育のために使えば、少しは改善していけると思うのですが……。

永江　本当そのとおりですよ。しかも喫煙環境で子どもを育てると、子どものＩＱが下がるって言われてますよね？

田淵　そうですね、それについては研究結果が出ています。6歳〜16歳のアメリカの子ども5365人について、読解力、計算力、積み木並べ能力と、血中ニコチン濃度との関連を調べる調査がありました。[19] 受動喫煙が増えれば増えるほど、これらの知的能力が下がっていることがわかりました。しかも受動喫煙が高度だと、軽症の慢性鉛中毒と同じ程度の知能低下が見られたと。

永江　それって、親が喫煙することで、子どもの知能を下げてるってことでしょ？　まあね、そもそも親の知能が低いと、子どももそれを引き継いじゃってる確率が高いと思う。ただ、それはどうしようもないことだと思えるけど、タバコに関しては親がやめればいいだけだから。

田淵　貧困の連鎖を断ち切るために、禁煙することが有効かもしれません。

02

JTは貧困ビジネスであり、社会保障タダ乗りビジネス

ふぅ～
仕事もねぇ…吸うしかねぇ
はぁ…おなか減ったなぁ
生活保護だけじゃあ満腹にならねぇ…
ほんとほんと…タバコ買ったら何にも買えない
今夜は…おにぎり1個
チャリーン
チャリーン
1000
1000

低所得者層ほど喫煙する。
それを知りながら、
今日もせっせと
お金をむしり取る…
これを貧困ビジネスと
言わずに何と言う？

永江　「世帯収入が低くなるほどお金がないはずなのに喫煙率が高くなる」という話でしたが、実際に調べてみると、生活保護受給者の喫煙率ってめちゃくちゃ高いんですよ。「生活保護費を何に使っているか」まで調査するのは、さすがに人権問題に引っかかっちゃうのであくまで参考値ですけど——山形県N市において、生活保護受給者に対して喫煙習慣についてのアンケートを取ったんですって。[20]その結果がこれ。

毎日喫煙33・7％、ときどき喫煙9・3％、過去喫煙32・6％、非喫煙24・4％
全体の喫煙率43・0％、男性54・5％、女性22・6％

藤原　喫煙率43％ですか……。日本人の平均喫煙率が17・8％なんで、約2・5倍ですね。

田淵　回答する側は「生活保護でタバコ買っているのは印象が悪い」って思っている場合がありますから、こういうアンケートでは「吸ってない」と答える人が多くなる可能性があります。だから、実際にはもっと喫煙率は高いかもしれません。

永江　たしかに、それはあるかもしれませんね。いずれにしても、お金に困っているにもかかわらずタバコはやめないんですよ。わたしね、生活保護をもらってる高齢者の取材を以前テレビで見たんですよ。その人、「毎日おにぎり1個しか食べられません」って言ってるんですけど、テーブルの上にタバコが乗ってるんです。タバコをやめれば、もっと栄養があるものをいくらでも食べられるのに……。

藤原　本当ですね。ちなみに、タバコ代って毎月いくらくらいかかるんでしょうか？

永江　吸う頻度によってかなり変わってきますけど、このN市の調査によると平均5998円（最小値380円・最大値1万4382円）だそうです。

ちなみに、この市の生活保護費の生活扶助（食費、被服費、光熱費等）が、高齢者単身世帯で約7万円、高齢者夫婦世帯で約10万円（1人あたり5万円）。アンケートに回答した方は、既婚者（夫婦世帯）が11・6％、それ以外の単身世帯が88・4％だそうなので、1人あたり生活扶助額は5万2320円。

よって、生活扶助額に占めるタバコ代の割合は、5998円÷5万2320円＝

11・5％にもなるんです！

……とにかく！　**生活扶助の1割以上がタバコに消えているんです！**

藤原　永江さん、計算お疲れさまです！（笑）

永江　えっと、もうひとつ計算させてもらっていいですか!?（笑）

平成29年度実績で、生活保護費の生活扶助の総給付額は1兆1570億円なんですけど、ここに喫煙率43・0％と、タバコ代が占める割合11・5％を掛け合わせると、1兆1570億円×43・0％×11・5％＝572億円なんです！

……つまり！　**税金で572億円分のタバコが買われているんです！**

田淵　生活保護には、生活扶助、教育扶助、住宅扶助、医療扶助など全部で8種類あるんですけど、実は医療扶助が半分を占めてるんです。そして、受給者は医療費が無料。これだけ喫煙率が高ければ、がんなどの発病率も高くなるわけですから、結果として**タバコ代だけでなく、それに由来する多額の医療費まで税金で負担している**ってことになるんです。

永江　まさにそのとおりです。しかも、「あんたらのタバコ代やら医療費は、汗水流して真面目に働いたビジネスマンの社会保険料でまかなわれてるんだ」って言うと、喫煙者たちはたいてい「自分たちもたばこ税払ってるんだ」って言い返してくるんですよ。

田淵　いやいや。たばこ税に比べて、タバコのせいで負担している税金の額のほうが高いですからね。

永江　そう！　たばこ税率はたしかに引き上げされてきてますけど、現状だいたい2兆円。それに対して、医療経済研究機構がまとめてくれた「喫煙によって生じるさまざまなコスト」を見ると全部で4兆3264億円。**たばこ税の2倍以上の損失**なんですよ！

健康面によるコスト（超過医療費、超過介護費）1.76兆円

喫煙による火災や清掃のコスト　1900億円

喫煙による労働力損失　2・4兆円
合計　4兆3264億円

藤原　「自分たちも、たばこ税払ってるんだ」は、何の自慢にもならないってことですね。

永江　そうですよ。国にもたらしている損失のほうが大きいんですから。

藤原　「タバコのひとつくらい許してあげてもいいんじゃない？」って言う人たちもいますけど、この事実をちゃんと認識してから言ってほしいと思いますね。

永江　うん。だって、真面目に働いてるあなたや、あなたの子どもが、知らない誰かにタバコ吸わせるためにお金を払ってて、そのせいで自分たちの社会保険が崩壊しようとしてるわけですよ？　それってどうなんですかね。

田淵　おかしいと思いますよ。ただね、低所得で貧しいにもかかわらずタバコ吸ってる人たちが100%悪いのかっていうと、それは違うと思うんです。結局今の状況って、タバコ会社が貧しい人たちから搾取するように仕向けて、誘導してきた結果ですから。

永江　たしかにそうですね。JTなどタバコ会社がやっているのは、まさに**貧困ビジネス**ですよ。認識力や知的レベルがあまり高くないような人たちをターゲットにして、彼らからお金をむしり取るっていうのは、かなりあくどいビジネスだと思いますね。

田淵　こうしたタバコ産業のあくどいやり方は、全然違う業界でも増えてきてますよね。最近わたしは、インターネットビジネスの本も読むことがあるんですが、そのほとんどが貧困ビジネスだなと感じます。すごくかっこいいデザインのウェブサイトで「こんなビジネスモデルでお金儲けできるんだぜ」って書いてるんですけど、結局、いかに無知な人や切羽詰まってる人からお金を搾取するかって話ばかりなんですよね。

永江　うんうん。わたしもよくブログに書いてますけど、情報商材系は全部貧困ビジネスですよね。ただ、タバコに関しては、低所得者の人や無知な人から搾取することで、真面目に働いている人たちの社会保険料にまで手を出しているじゃないですか。これって、貧困ビジネスであり、**社会保障タダ乗りビジネス**ですよ。

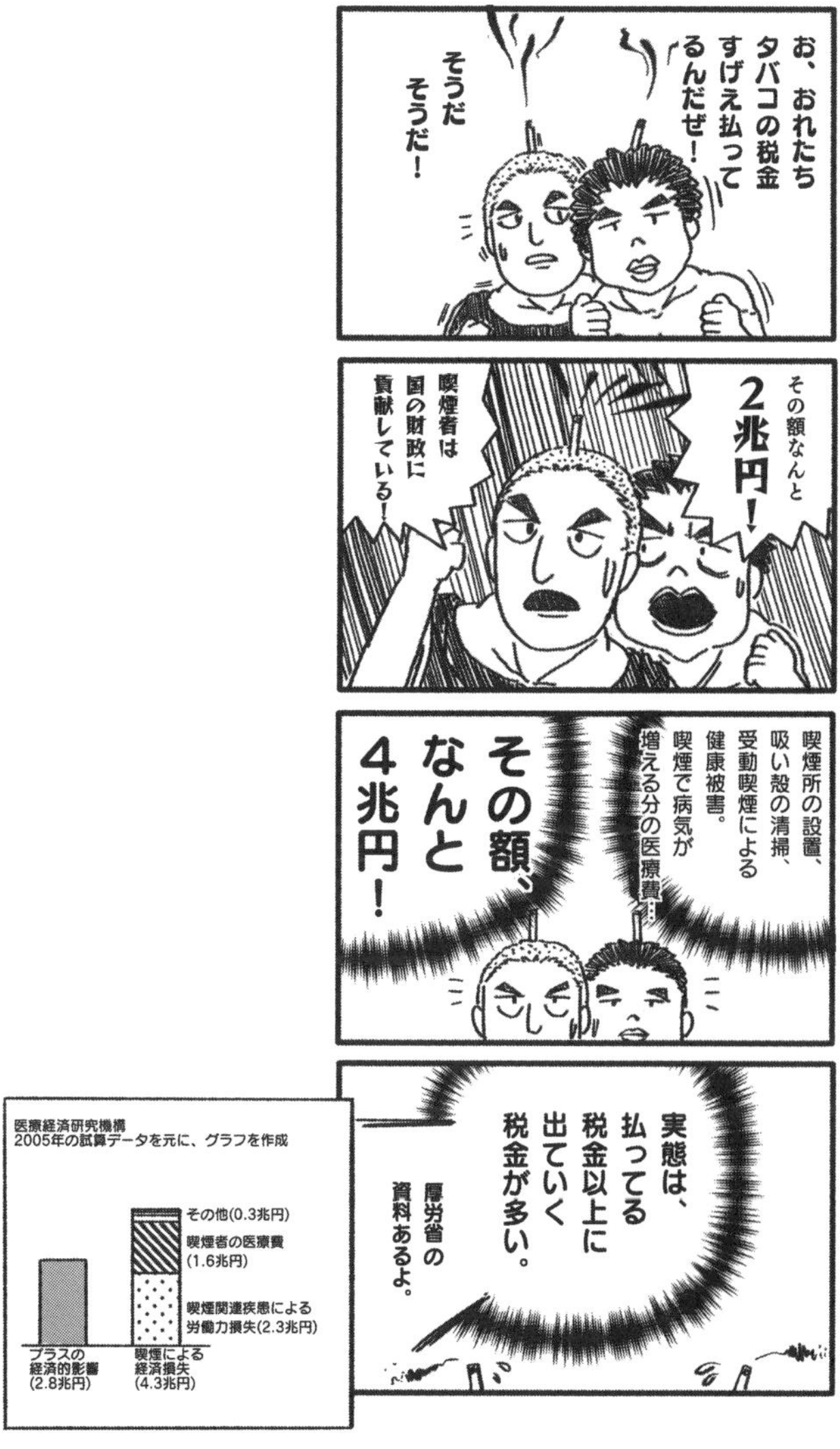
お、おれたちタバコの税金すげえ払ってるんだぜ！
そうだそうだ！
その額なんと2兆円！
喫煙者は国の財政に貢献している！
喫煙所の設置、吸い殻の清掃、受動喫煙による健康被害。喫煙で病気が増える分の医療費…
その額、なんと４兆円！
実態は、払ってる税金以上に出ていく税金が多い。
厚労省の資料あるよ。
医療経済研究機構
2005年の試算データを元に、グラフを作成
その他(0.3兆円)
喫煙者の医療費(1.6兆円)
喫煙関連疾患による労働力損失(2.3兆円)
プラスの経済的影響(2.8兆円)
喫煙による経済損失(4.3兆円)

03

海外のタバコ対策を知ろう

海外のタバコは
喫煙の害をわかり易く伝え、
価格も高めに設定し
買いづらくしている。
なぜ日本のタバコは
害を伝える写真を
載せることはないし、
海外に比べて安いのか。

永江　いくらＪＴのあくどいビジネスが問題とはいえ、とにかく貧困の連鎖を断ち切るためにもタバコは絶対にやめるべきだと思います。

藤原　ただ、コンビニでも自販機でも1箱３００円ちょっとからタバコが売られている環境じゃ、意志の問題で簡単にやめられるものじゃない気がします。

田淵　それがＪＴのロビー活動の成果ですからね。藤原先生の言うとおりです。タバコは、ニコチン依存症という恐ろしい病気につながるにもかかわらず、日本ではコンビニで簡単に買えてしまう。しかも安い。

永江　たしかに、有害物質の塊を簡単に入手できてしまうような日本の現状は問題ですね。

田淵　そうです。依存症を誘導するような状況が当たり前にあるのはおかしいことなんです。たとえば、よくタバコと並んで話されることが多いアルコール。日本では、居酒屋での「飲み放題」が定着しちゃっていますけど、これは明らかに飲みすぎを誘発する仕組みですよね？　ＷＨＯや世界の他の国々から批判されていますよ。

永江　そうなんですか！

田淵　そうです。たとえば、フランスでは飲み放題は法律で禁止されています。それに、お酒のテレビＣＭも問題だと思います。日本では、人気の俳優を起用したＣＭがゴールデンタイムに次々と流れていますが、アルコール依存症の経験者からすると死ぬほどつらい状況だというエピソードを聞きました。

藤原　飲みすぎはやめようと思っていたとしても、そういったＣＭがやめづらい状況を作り出していますね。

永江　まあね。ただ厚生労働省のデータによると、お酒ってタバコと違って所得が高い人ほど飲んでるんですよ。高所得になるほど、付き合いでお酒を飲む機会が増えるからだと思います。低学歴ほど低所得だっていうさっきの話でいくと、高学歴・高所得はセットになりやすいわけで、こういう人たちのほうが自分を節制できる人が多いと思うんですよね。

もちろん、貧乏でアルコール中毒なんて人もいますけど、データ的には、アル中の人って喫煙とセットになっているケースが多いんです。だからやっぱり、タバコは低所得者をメインターゲットにして依存症にさせている時点でお酒よりもよっぽど闇が深いと思うんです。

藤原　たしかに。依存しやすく、かつ依存から抜け出しづらい社会経済的弱者を意図的にターゲットにしているのは、本当にあくどいですよね。

永江　そうそう。わたしね、これが一番手っ取り早いと思うんですけど――低所得者からタバコを引き離すためには、日本もタバコを１箱２０００円くらいにするべきなんじゃないですかね。オーストラリアなんて、今２０００円以上するでしょ？

藤原　たしかに、オーストラリアやニュージーランドは特に高いですね。

永江　ヨーロッパも、ノルウェー、イギリス、アイルランドとかは1500円前後、カナダやシンガポールなんかも1000円超えですよ。これくらいタバコの値段が上がったら、さすがに今までみたいにはがんがん吸えなくなるでしょ。そうすれば、浮いたお金でまともなご飯が食べられるようになり、ニコチン依存から抜けることで集中力が増して仕事もできるようになり、子どもへの被害も最小限に食い止められる。

藤原　それはもう、永江さんのおっしゃるとおりでしょうね。あとは、タバコの値段の他にも、海外と日本ではタバコのパッケージの規制が大きく違いますね。

オーストラリアやニュージーランド、カナダやイギリスだけではなく、ブラジル、インド、タイといった新興国でも、タバコのパッケージにはタバコによる健康被害を表す写真や文言が全面に押し出されています。

図表 3-4　カナダのタバコパッケージ写真例①

紙巻タバコは口腔疾患の原因になる

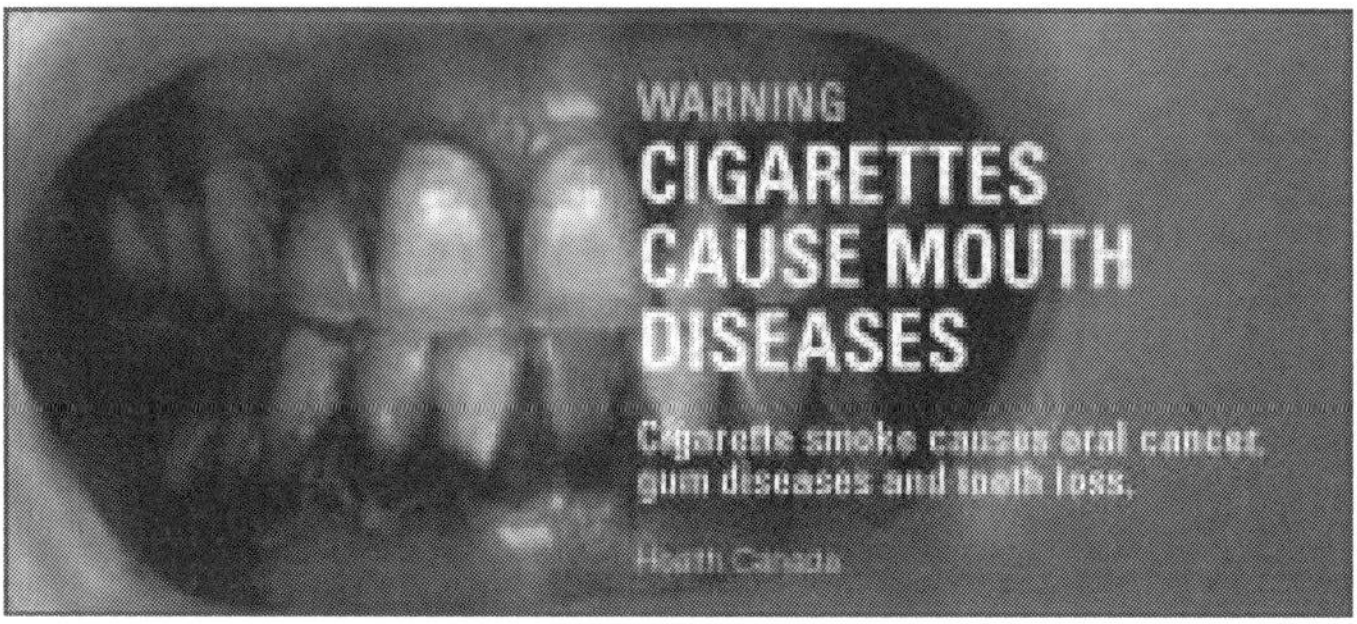

図表 3-5　カナダのタバコパッケージ写真例②

紙巻タバコは脳卒中の原因になる

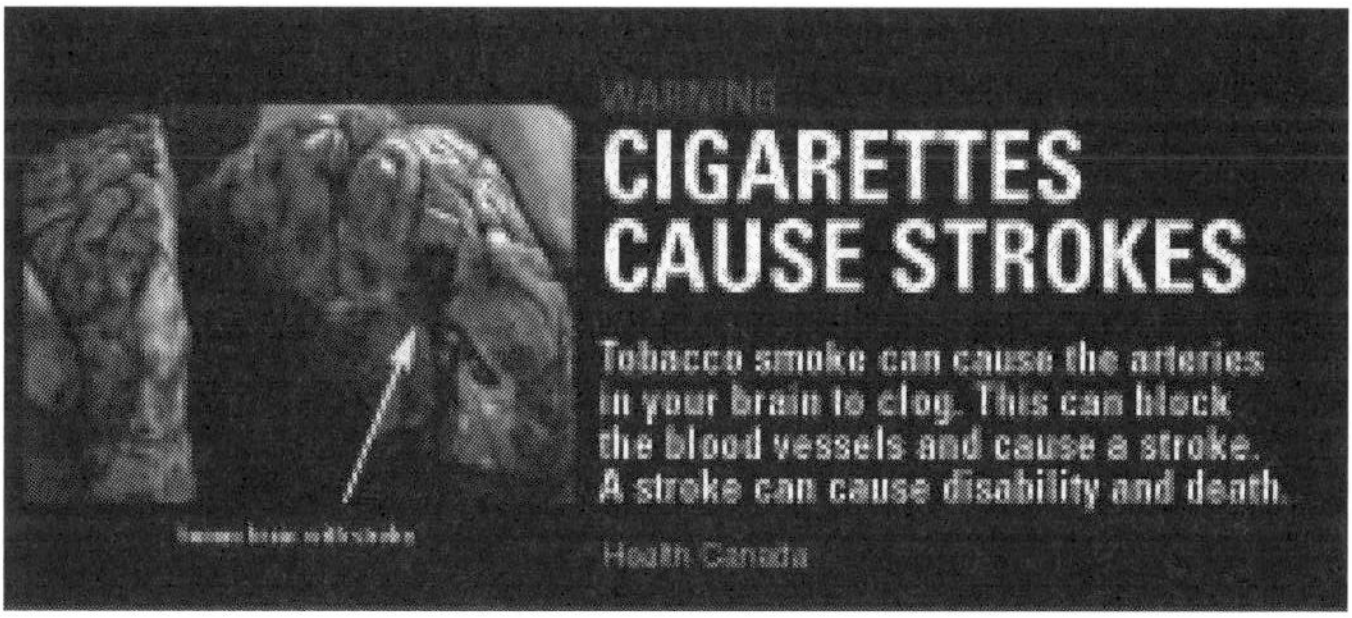

出典：公益財団法人 健康・体力づくり事業財団ウェブサイト
http://www.health-net.or.jp/tobacco/oversea/ov951000.html

図表 3-6　20 本入り紙巻きたばこの包装についてのイメージ図

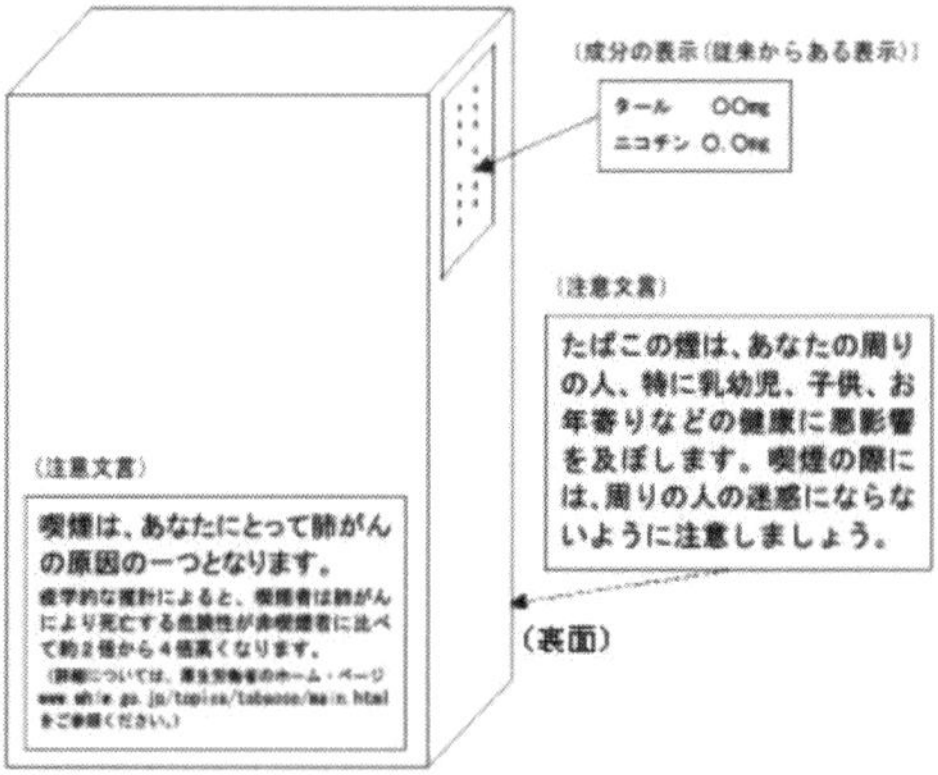

出典：公益財団法人 健康・体力づくり事業財団ウェブサイト
http://www.health-net.or.jp/tobacco/oversea/ov951000.html

永江　日本のパッケージとは大違いですよね。写真や文言については、たしかそれぞれの国でルールが定められてるんですよね？

藤原　そうですね。警告文を載せることはほとんどの国でなされていますし、画像付きのパッケージを義務付けている国も増えています。それから、ＥＵでは「警告文は（読みやすいように）白地に黒枠の中に、黒字で書かれなければならない」というルールがありますね。

永江　日本じゃ、極小サイズの文字で申し訳程度に書いてあるだけですからね。警告の意味を全くなしてませんよ。

田淵　都合の悪いこと、でも書かなければならないことを小さく書くというのはJTの得意技ですからね（笑）

藤原　そうですね（笑）しかもこの文言、海外では「警告文言」という認識なのですが、日本はあくまで「注意文言」としてるんですよね。

永江　呆れますね……。

藤原　これまでは、注意文言の表示面積はパッケージの30％以上だったのですが、2020年4月1日以降（商品によっては7月1日以降）は、50％以上の表示が義務付けられるようです。

永江　日本でも肺がドロドロになってる写真とか載せちゃいけないんですかね？

藤原　パッケージに写真を載せることについては、財務省が報告書をあげていますね。[21]

海外では、画像を用いた注意文言表示を導入している国が増加している。注意文言表示は、画像を用いた注意文言表示の場合には一定の視覚的効果が期待できる一方で、喫煙と健康に関する適切な情報提供という観点からは、提供する情報が消費者に正確に受け止められるようにするとともに、過度に不快感を与えないようにすることが必要と考えられる。また、我が国においては、製造たばこが自動販売機や製造たばこ以外の商品を扱う店舗でも販売されており、製造たばこのパッケージは喫煙者以外の目にも触れることに留意する必要がある。

こうした様々な課題があることを踏まえれば、我が国において画像を用いた注意文言表示とするか否かは、新たに導入する注意文言の効果、画像を導入した諸外国における導入効果等について十分に検証し、画像の受け止め方は国民性等により異なることなどにも留意し、引き続き、検討されるべき課題と考えられる。

永江　「過度に不快感を与えないようにすることが必要」って……。こっちは、受動喫煙にさらされて、過度な不快感を与えられてますけど、それはいいんですか？　って感じですね。

田淵　永江さんの指摘のとおりです。ただ、ＪＴが徹底したロビー活動をしていて、国会議員に喫煙者が多く、ＪＴから献金を受け取ってる議員がいるような現状では、タバコの値上げや、健康被害を伝える直接的な写真のパッケージは、残念ながらそう簡単に認められないでしょうね。もちろん諦めるわけにはいきませんが。

藤原　こうして世界と比較してみると、日本のタバコ対策がいかに遅れているかがわかりますね。先ほども述べましたが、ＷＨＯの調査で日本の喫煙規制は4ランク中の最低ランクです。今回の改正健康増進法によっても1ランク上がるだけです。[22]

永江　うん。日本人は、**日本での当たり前が世界のスタンダードではない**ってことを認識すべきです。

これね、わたしの知り合いの女性が何年か前にアメリカ留学した時に、「タバコって本当に世界で悪印象なんだな」と肌で感じたっていう話なんですけど――彼女がアメリカに留学した時、同じ日本人でＭＢＡを取りに留学に来ているＪＴの社員がいたんですって。でも、そのＪＴ社員、みんなの目の前で平然とタバコを吸ってたそうで、アメリカ人はじめ周りの人たちは「あいつバカじゃないのか」って、すごく嫌ってたそうですよ。

田淵　いかに日本がタバコ対策後進国かっていうのを伝えているストーリーですね。タバコっていうのは嫌われる存在で、社会的に認められないものだっていう考えが日本にももっと広まるべきです。

藤原　そうですね。だって、タバコ対策が進んでるのって、なにも欧米の先進国だけじゃないですからね。今では、新興国含めてどんどん禁煙化が進んでる。

永江　フィリピンとか罰則がすごく厳しいんでしょ？　ドゥテルテ大統領の就任以降、違反者は最大200米ドル（約2万2200円）の罰金があるって。フィリピンの平均月収は約400ドルらしいので、この罰金は超高額。罰金で平均月収の半分を支払うって考えるとすごいですよ。

藤原　かなり高額ですよね。しかも、未成年者にタバコを与えた場合は、禁錮30日の判決が下る可能性もあります。

田淵　「ホレ、1本吸うか？」って、おっちゃんが若者にタバコあげたりするケース――逮捕される可能性があると思ったらすごいですね。本来そうあるべきだと思いますが。

永江　それから、タイでは電子タバコ（加熱式タバコ含む）の所持・使用が禁止されてるんでしょ？　違反すると最高で懲役10年、罰金50万バーツ（約170万円）のいずれかが科される。すごくないですか？　実際、日本人が何人か逮捕されたみたいですよ。

藤原　ちなみに、オーストラリアやニュージーランド、イギリス、アメリカ（州による）では、子どもを同乗させた車で喫煙すると罰金になりますね。

田淵　車内での喫煙は、煙があっという間に充満して本当に危険なので、日本も見習ってほしいですね。

WHO
タバコ規制枠組み条約（略称 ＦＣＴＣ）に署名したけど、全然守ってないよね？
喫煙スペース提供！マナー向上！
スポーツのチームを運営！健全さアピール！
テレビCMで良いこと言ってるし！
ひとのときをおもってるだけ…
スポンサー活動はぜーーんぶ禁止！ＦＣＴＣ第13条読んだ!?
それ全部、国際条約違反！
まあまあ、我が国にはタバコ事業法というものがあって…
政府
…なぜ署名した？

国際法と国内法、
どちらが優先されるかは
議論の余地はある…が。
署名しておきながら
違反しているのは
無責任すぎるでしょ

04

JTの「いい顔」に騙されるな!

…どうして、害があるタバコをせっせと売るの?
売上の約9割がタバコだなんて…ポートフォリオ偏りすぎて逆に心配…
ブツブツー…
いろんなビジネスに手を出してるさ〜!
飲み物売ってたの知ってたか!（2015年事業撤退）
チューインガム事業も!あれはアッという間に終わったわ!（1990年頃）
儲かってる? そんなの関係ねぇ!
おぉ…

タバコ以外のビジネスはほぼすべて赤字…
だけど世間にタバコだけじゃないよと誤解させるため、多角経営するJT

永江　もうひとつJTがあくどいと思ったのは、今度はカフェインを吸わせるston（ストン）っていう商品を発売したこと。カフェインやGABAを含んだ液体を加熱して、その水蒸気を吸うことで、肺経由でカフェインを摂取するっていう……。

藤原　それって、もう明らかに加熱式タバコのカフェイン版ですね。

永江　そうそう。カフェインだって過剰摂取することで依存症を引き起こすでしょ？　タバコの次はカフェインって、依存症ビジネスから依存症ビジネスですよ。もうこれってあくどすぎませんか？

藤原　相当あくどいと思います。

永江　カフェイン中毒ってどれくらいひどいんでしょうか……？

田淵　いやいや、そうやって永江さんの意識がカフェインに移っている時点で、もうJT

の思惑に誘導されてるんですよ。

永江　え、そうなんですか？

田淵　はい。いろいろなビジネスを展開することで、「JTはタバコだけの会社じゃない」と思わせるのがJTの意図なんです。

永江　なるほど。わたしたちは、他の商品によって目くらましされてるってことですね。

田淵　そうです。「JTは食品や医薬品も売ってるから、タバコだけの会社じゃない」って思ってる人が多いんですけど、これはもうJTの思惑どおりに、そう思わされてるんです。

JTにはたしかに食品部門や医薬品部門があるんですけど、これら**タバコ以外の部門ってほぼ全部赤字**なんですよ（最近になって一部は赤字ではなくなってきているが、その収益はタバコにはるかに及ばない状況）。だから、実際にカフェインの新商品が売れようが売れまいが、そんなの関係ないんだと思います。

藤原　え、ほぼ赤字なんですか？

田淵　そう、タバコ以外のビジネスはほぼ全部赤字。それでも、これらのビジネスをやめないのは、食品・医薬品部門はＪＴのイメージアップに役立つからでしょうね。タバコ製品自体の宣伝・広告は自主規制してますけど、食品・医薬品部門はテレビＣＭなどでも積極的に宣伝をしていますから。

永江　全てはタバコビジネスをできるだけ長く存続させるため――結局ＪＴは、タバコが害だってことをわかっているから、こうした工作をいろいろ行ってるってことですよね。もうさ、悪だってわかっているのに、それで儲けるっていう考えが信じられない。

田淵　タバコの有害性をなるべく伝えないようにするっていうのは、タバコ産業全体が歴史的にやってきたことです。とはいえ、最近ではフィリップモリス社などの他のタバコ会社は、受動喫煙の有害性について認めています。でも、JTはいまだにそれを認めていない。JTは、受動喫煙について、こうコメントしています。

受動喫煙については、周囲の方々、特にたばこを吸われない方々にとっては迷惑なものとなることがあることから、JTは、周囲の方々への気配り、思いやりを示していただけるよう、たばこを吸われる方々にお願いしています。

受動喫煙（環境中たばこ煙）は非喫煙者の疾病の原因であるという主張については、説得力のある形では示されていません。受動喫煙への曝露と非喫煙者の疾病発生率の上昇との統計的関連性は立証されていないものと私たちは考えています。

藤原　迷惑になるというか、健康被害をもたらしているんですけどね……あくまで「迷惑なもの」という言い方にとどめ、客観的な被害の点は頑として認めないわけですね。

永江　正確には「迷惑なものとなることがある」と言っていて、「迷惑なもの」とすら認めてませんね（笑）

田淵　そうなんですよ。これに対して国立がん研究センターはウェブサイト上で、ＪＴのこのコメントに反論しています。

受動喫煙は「迷惑」や「気配り、思いやり」の問題ではなく、「健康被害」「他者危害」の問題である。健康被害・他者危害があるという科学的事実に基づいて、公共の場および職場での喫煙を法律で規制するなど、たばこ規制枠組み条約で推奨されている受動喫煙防止策を実施することが必要である。

藤原　ＪＴが受動喫煙の害を公に認めちゃったら、その情報を知った喫煙者たちが他人を配慮してタバコを吸うことに抵抗感を持つようになってしまう……そうしたらタバコが売れなくなってしまうってことを懸念してるわけですね。

田淵　まさにそういうことです。ＪＴは人類の敵です。とはいえ、ＪＴの社員みんなが敵ということではなく、もちろんタバコ産業にもいい人はいます。でも、**タバコ産業は組織としては人類の敵**なんです。ＷＨＯの前事務局長のマーガレット・チャン氏もそう公言したとして、ＷＨＯのウェブサイトには「タバコ産業は人類の敵」だと明記されています。

永江　うーん、でも、人を殺すような有害物質のビジネスに加担しているわけですから、タバコ会社の社員はみんな悪いやつだと思っちゃいますけど……。

藤原　これは、友人の医師の方から聞いた話なんですけどね――この人は、医師として中学校や高校に行って禁煙授業をすることがあるんです。彼がある中学校で禁煙授業をした時、その教室内にＪＴに勤めてる人の子どもがいたそうです。それで、そのＪＴに勤めている保護者から「禁煙授業のせいで子どもがイジメにあったらどうするんだ！」っていう抗議が校長に寄せられたそうなんですよ。その医師も別にＪＴに勤めている人を攻撃する意図はなかったと思うんですけどね……。

田淵　ＪＴの社員にも、大なり小なり葛藤を抱えている人がいるようです。

永江　うーん、じゃあもうＪＴへの就職をやめさせればいいんじゃないでしょうか。

藤原　新入社員が雇えないのはダメージ大きいですよね。

永江　うん。あ、それで言うと、一番やめてほしいのはタバコ農家の跡継ぎですよね。タバコ農家って、ありとあらゆる農家の中でめちゃくちゃ儲かる。絶対に買い取ってくれる相手がいるから若手が継いでるんですよね。でも、子どもも含めてこれだけ多くの人がタバコで死んでるのに、よくそんな「死の商品」の生産にかかわる仕事を継げるよな、と思います。

藤原　そうですね。そういう人たちには、心の葛藤を増幅させるような話をどんどんしていくのがいいのかもしれませんね。

田淵　先ほど、ＪＴの食品部門や医薬品部門は、会社の「いい顔」を見せるための作戦だっていうお話をしたじゃないですか。ＪＴは、他にも似たようなことをやっているんですよね――たとえば「青少年向け喫煙防止プログラム」。

永江　あ、それにもなにか意図された裏の顔があるんですか。

田淵　そうです。この青少年向け喫煙防止プログラムって、JTのCSR（企業の社会的責任）の名のもとで実施されてるんです。ただこれらは、表向きは「青少年の喫煙をやめさせる」ためのもののように作られていますけど、実際には正反対の効果を持つことが多いんです。喫煙をあたかも大人の特権であるように描くことで、彼らにタバコをアピールしているんです。

藤原　「タバコは20歳になってから」っていうフレーズなんかは、「20歳になったらタバコを吸えるようになる」といったように捉えられますよね。かえって10代をタバコに誘導しかねない。一生手を出したらいけないものなのに。

田淵　そうなんですよ。とある高校教師の方が「タバコは20歳になってから」って教室で言っているのを聞いた時、驚愕しましたね。未成年にこういう伝え方をしてしまうと、もうJTの思うツボなんですよ。

永江　なるほどね。

田淵　だから、わたしたちはやはり**「タバコは20歳かどうかにかかわらず、誰も吸ってはいけない」**っていうメッセージを伝えていかなきゃいけないと思うんです。

藤原　学校の保健体育の教科書には必ず喫煙の害を書いた項目があるのですが、「20歳になるまでタバコを吸ってはいけないのはなぜか」という書き方の教科書もあれば、「タバコは年齢を問わず吸ってはいけないのはなぜか」という書き方の教科書もあります。私は西宮市教育委員会で教科書選定に携わったのですが、どの教科書を推したかは言うまでもありませんね。

05

行政VSタバコ擁護派の戦い

タバコ会社担当者は、都道府県など自治体のタバコ対策担当者に近づいて、情報を引き出し、条例案があるとわかればすぐに妨害工作を始めます。

タバコ会社は人類の敵
（WHO 前事務局長
マーガレットチャン）

永江　わたしね、東京の調布市に住んでるんですけど、調布市って受動喫煙防止条例が制定されていて禁煙が進んでるんですよ。でも、まだその条例が可決する前、調布市の受動喫煙防止条例についての公聴会があったんですね。その時、ＪＴがその公聴会にスパイを送り込んできたんですよ。一般市民のフリをしたＪＴ側の人間が、「タバコを吸う権利はどうなるんだ」とかって発言してたんです。調布禁煙ネットワークっていう団体があるんですけど、後でそこからタレコミ情報が来て、調べたらその発言をしていたのがＪＴ側の人間だったんですよね。そこまでやるんだな、と思いましたよ。

田淵　ＪＴは、日本中でそういうことをやっていますね。ＪＴの会社には、日本中の自治体におけるタバコ対策の担当者の活動などを監視する部署があるっていうのを聞きました。

永江　え、もしかして田淵先生も監視対象になってるんですか⁉（笑）

田淵　私がそうなっているかどうかは知りませんけど（笑）ちなみに、ＪＴの人たちって学会にもいつも来ますよ。なんでかっていうと、禁煙に関する活動を始めようとしている自治体や企業の情報をキャッチして、それを潰そうと先手を打ってくるんですよね。

永江　それって、変なネタを流したりするんですか？

田淵　変なネタどころか、お金の力を使って潰しにかかってきます。神奈川県は、2010年に日本で初めて受動喫煙防止条例を制定したんですが、住民の認識を問うた最初の実態調査がJTによって妨害されたんです。この調査で不自然な反対票の増加があったんですよね。それで、おかしいからって調査をやり直したら、それらの反対票はJTが仕組んだ組織票で、実際には8割近くの県民が条例に賛成しているとわかったんです。

永江　もし誰も不自然な票の動きに気付かなかったら、この受動喫煙防止条例は成立しなかったってことですね。

藤原　そうなんですよ。がんばっている行政には負けないでほしい。

永江　うんうん。それで言うと、東京都調布市には成功事例があるんですよ。調布市は禁煙が進んでるって言いましたけど、そのきっかけになったのが、調布市が出した「子どもを連れて行けるレストラン特集」っていうサイトなんです。そのサイトに載ってるお店がことごとく喫煙店だったんですよ。

田淵　それはひどいですね。

永江　作った人たちが喫煙者だったんですよね。だからわたしね、それを見て「拝啓 調布市長さま」っていうタイトルでブログを書いたんですよ。「あなたは、子どもを殺す可能性のあるお店に家族で行けって言ってるんですか?」って。そうしたら、そのブログすごく反響があったようで、調布市に何百件も苦情の電話がいったんですよ。

藤原　すごい効果ですね。

永江　調布市に住んでいない人も大勢電話くれたみたいで（笑）その後、市長からも謝罪が来ました。
それでね、その一件で勢いを得た公明党が、受動喫煙防止条例を出したんですよ。罰金は５０００円なんですけど、結果として駅や学校の周辺も全部禁煙になって、今では外歩いていてもタバコ吸ってる人を見かけなくなりましたよ。

藤原　それは素晴らしいですね。

永江　さらにね、受動喫煙防止条例を出した後に、調布駅前にあった喫煙所を市が撤去したんですよね。そうしたら、自民党のおっさんが市役所に怒鳴り込んで来て、「タバコ吸う人の権利を考えろ」って言ったんですって。その時、調布市の健康増進課の課長が大見得を切ったんですよ。市役所の職員が大勢いる前で「私の目の黒いうちは絶対そんなことはさせない」って言い切ったそうです。

田淵　おお、それはかっこいい。

永江　そう、もう拍手喝采だったんですって。

藤原　いいですね。繰り返しになりますが、仮に「喫煙の権利」なるものがあったとしても、受動喫煙で他者を加害することまでは絶対に正当化されません。喫煙者と非喫煙者の関係は、一方的に譲らせる側と一方的に譲らされる側の関係で、おまけに両者の立場が入れ替わることがないものですから、「譲り合い」「お互い様」の関係にはなり得ないのです。

本来であれば国がタバコ対策をガツンと進めるべきなんでしょうけど、そうやって市や区、都道府県単位で禁煙の取り組みを増やしていくことも必要ですね。

「子供を連れて行けるレストラン特集」…なのに喫煙店ばかりじゃないかー！
けしからん！
も、もうしわけございません…すぐ対応します
市役所
駅前の喫煙所撤去？市民の憩いの場を無くすのかあ～！
…あぁ？
受動喫煙を防止するために必要な措置を講ずるように努めなければならない。
健康増進法25条、遵守意識が低いよ！
ズバババーン

健康増進法25条読もう。
あなたの街の
喫煙擁護派も一掃だ！
調布市のような
健康推進課の人たちに
エールを送ろう！

Q3 経過措置によって喫煙可能室を設けた店舗において、2020年4月以降に経営者が代わった場合、引き続き喫煙可能にできますか？

これについては、厚生労働省が「既存」の店であることの判断基準としてあげている「経営者の同一性」という要素が関係します。

●「経営者の同一性」が認められ、経過措置を受けられるパターン

法人経営の場合　経営する法人は変わらず、法人代表者やその店舗の店長が変わっただけの場合

個人経営の場合　店舗を親族が相続した場合や、1年以上勤めていた従業員が引き継ぐ場合

それ以外、たとえば相続人や従業員以外の者が店舗を引き継いだ場合や、別法人に事業譲渡されたような場合は「経営者の同一性」が認められず、経過措置を受けることができません。

Q4 経過措置によって喫煙可能室を設けた店舗が、2020年4月以降に移転リニューアルした場合、引き続き喫煙可能にできますか？

これについては、厚生労働省が「既存」の店であることの判断基準としてあげている**「店舗の同一性」**という要素が関係します。

物理的に場所が移転した場合や、同じ場所でも大規模修繕（壁、柱、床、はり、屋根、階段に変更を加えるようなもの）を行った場合は、「店舗の同一性」が認められないため、経過措置を受けることができません（同じ場所で店舗内のレイアウト改装をする程度なら可）。

ただし、災害、土地収用、土地区画整理事業などによるビルの建替えによって同じ業態の事業を再開する場合は「店舗の同一性」があるとして、経過措置を受けることができます。

Q5

経過措置によって喫煙可能室を設けた店舗が、2020年4月以降に業態を変更した場合（例：定食屋がラーメン屋になったような場合）引き続き喫煙可能にできますか？

これについては、厚生労働省が「既存」の店であることの判断基準としてあげている**「店舗の同一性」**という要素が関係します。

場所や経営者が変わらず、業態が変わっただけであれば「店舗の同一性」が認められ、引き続き経過措置を受けることができます。ただし、新たに風営法上の許可を受けた場合（例　居酒屋がキャバレーになったような場合）や、反対に廃止した場合などは「店舗の同一性」が認められず、経過措置は受けられません。

第3章　脚注

18　厚生労働省の発表データ。調査の対象は、平成26年国民生活基礎調査（約1万1000単位区内の世帯約30万世帯および世帯員約74万人）において設定された単位区から層化無作為抽出した300単位区のうち、平成26年8月豪雨の影響により1単位区を除いた全ての世帯および世帯員で、平成26年11月1日現在で1歳以上の者とした。対象世帯のサンプルは3000超。

19　日本禁煙学会理事　松崎道幸「NPO法人　日本禁煙学会　受動喫煙とこどもの健康：ファクトシート」『日本禁煙学会雑誌　第5巻　第1号（2010年）』

20　松浪容子、川合厚子　「N市における生活保護受給者の喫煙に関する　実態と禁煙治療に対する認識」『日本禁煙学会雑誌　第10巻　第4号（2015年）』

21　「注意文言表示規制・広告規制の見直し等について」平成30年12月28日　財政制度等審議会より。

22　"WHO report on the global tobacco epidemic 2017:148" "WHO report on the global tobacco epidemic 2019:154" より。

付録

喫煙可能にしている飲食店に教えてあげたいこと

２０２０年４月１日より改正健康増進法が施行され、全国の飲食店は原則禁煙になる

＊次の要件を満たさない限り、屋内での喫煙は不可

・店内に**喫煙室**を設ける／**20 歳未満の喫煙室への立ち入りを禁止**する
※喫煙室は、「喫煙専用室（飲食不可）」もしくは「加熱式タバコ専用喫煙室（飲食可）」のどちらか

・小規模店のみ、**経過措置**を受けて、店内全体（もしくは一部）に「喫煙可能室（飲食可）」を設ける／**20 歳未満の喫煙可能室への立ち入りを禁止**する

・喫煙を許可している飲食店は、その旨を伝える**標識を店の出入口のわかりやすい場所に掲示**する（たとえば「喫煙可能室」の標識のサンプルは 45 ページ参照）
※喫煙しながら飲食可の形態を設けている場合、広告や宣伝においてもその旨を記載しなければならない

・喫煙可能室を設けている飲食店は、**管轄の保健所（設置されていない場合は都道府県庁）に届け出る**

＊「喫煙可」の飲食店は、ここに注意！！

・喫煙スペースには**20 歳未満**の従業員が入れない

・店全体を喫煙可能室という扱いにする小規模店の場合は、**20 歳未満のホール担当の従業員はそもそも雇えない**

・**一部でも喫煙可能時間があるならば喫煙可能室**という扱いになるため、店の出入口には「喫煙可能室」「20 歳未満立ち入り禁止」の標識を常に掲示しなければならない

・**加熱式タバコも専用喫煙室が必要**

・法律違反した場合、**最大 50 万円の過料**が科せられる

＊誤解していませんか…？ 飲食店と禁煙化の関連について

・狭い空間での喫煙は**命の危険**がある（49 ページ参照）
・店内を禁煙にしても**売上は下がらない**（86 ページ参照）
・店内を禁煙にすると**客層がよくなる**（90 ページ参照）
・店内禁煙化は**インバウンドにも効果的**（114 ページ参照）

付録

喫煙している身近なあの人に教えてあげたいこと

＊それでも吸いますか…？ タバコの煙が他人に与える健康被害

・日本では、**受動喫煙が原因で年間１万５０００人が亡くなっている。**このうち 70 人以上が乳幼児

・受動喫煙での死亡理由で多いのは**「脳卒中」「心筋梗塞」**などの循環器系疾患。肺がんとは異なり、タバコの煙で**突然ショック死する可能性がある**

・タバコの煙は**子どもの知能・発育に障害をもたらす可能性が高い**

＊知っていましたか…？ タバコはあらゆる病気を引き起こす

・喫煙は、**新型コロナウイルスの発症リスク・重症化リスクを高める**
⇒**比較的短期間の禁煙でも、新型コロナウイルス対策に効果がある**
（詳細は 139 ページを参照）

・喫煙は、新型コロナウイルスに限らず、**インフルエンザ等の感染症の発症リスクを高める**

・肺がんをはじめとする、さまざまながんの発症リスクを非喫煙者レベルにするには約 15 年かかる
⇒**できるだけ早く禁煙**するに越したことはない

・**加熱式タバコ**にも**有害物質・発がん性物質**が多く含まれている
⇒**ニコチン依存は避けられない**
⇒**紙巻タバコの禁煙を促進する効果はない**

・**ニコチン依存症は立派な「病気」**
⇒**精神不安、イライラ、暴力性、抑うつ**などを引き起こす
⇒禁煙治療は**保険診療**の対象である

＊タバコは社会的に認められないものになりつつある

・2020年4月1日、改正健康増進法の施行により**飲食店を含むあらゆる施設の屋内は原則禁煙**になった

・**海外では屋内禁煙がスタンダード**になっている。日本のタバコ対策は**世界的に遅れている**

・東京都では「子ども（18 歳未満）のいる部屋・車内でタバコを吸ってはいけない」ことが条例で定められており、他にも大阪府や兵庫県において子どもを受動喫煙の被害から守ろうという趣旨の条例が独自に定められている

・喫煙はニコチン依存を発症させ能力低下を引き起こすことから、**喫煙者を採用しない企業が増加**している

・分譲マンション等の**ベランダは共用部分**。ベランダでの喫煙が原因で**訴訟**が起き、**損害賠償請求が認められた**こともある

・賃貸住宅内で喫煙をしていた場合は、退去時に**自費で**部屋のクリーニングをしなければならない（**クリーニング費を請求される**）。タバコのヤニ・臭いは、一般的な生活を送るうえでの**「通常の損耗」と認められない**

あとがき

田淵貴大

著者のひとりとして、勝手にあとがきを書いている。急ピッチで進められた出版作業だったが、とてもいい本にできたと思う。わたしひとりだけのアイデアではなく、関わってくれた多くの人のアイデアが詰まった本だからである。

伝えたいことのひとつは、表紙を見てもらえばわかる。「屋内は禁煙ですよ！」ということ。また「喫煙可にする場合には、20歳未満は立ち入り禁止です」そういうルールができました、ということ。「屋内禁煙ルール」と「20歳未満立ち入り禁止」と掲示しなければなりませんよ、ということがあまりにも伝わってなさそうなので、この本ができました。改正健康増進法ができて少し前進しましたが、日本での議論はまだこの段階です。

次の議論の段階は、「受動喫煙はすべての人に害をもたらすのに、20歳未満だけ立ち入り禁止というルールはおかしいんじゃないか？」ということになるでしょうか。法律のルールだからといってそれが正しいとは限りません。我々の社会をよりよいものとしていくために議論を発展させていかなければならないのです。
究極の目的は「タバコのない社会を実現させる」ことです。そのためには、実現可能なタバコ対策を少しずつでも前進させて、議論して、世論を高めていかなければなりません。まだまだやらなければならないことがたくさんあります。まずは、すべての屋内空間の禁煙化。それだけでもまだしばらく達成できそうにありません。しかし、私は決してそれを諦めませんから、本書を議論のきっかけとして活用してもらい、一緒にタバコ対策に取り組んでいきましょう。

対談企画を運営・管理し、出版まで堅実に進めていただいたプチ・レトル株式会社の大倉一真氏、玉村優香氏には、大変お世話になった。大変多忙ななか、対談していただいた永江一石氏、藤原唯人氏両名に感謝する。また本書を作成するにあたり、JSPS科研費JP18H03062の助成を受けた。さいごに、日本のタバコ対策の推進に貢献していただいているすべての仲間に感謝を伝えて本稿を閉じたい。

あとがき

藤原唯人

改正健康増進法について、法律に違反しないギリギリのラインはどこなのか、また仮に法律に違反したとしてそのことによる制裁はどの程度のものなのかといった質問を受けることがあります。

率直に言って、さもしい議論だなと思います。

法律なんてものは、わたしたちの社会を規律する最低限のルールにすぎません。わたしたちの社会は、信頼関係や倫理観といったもっと高次な規律によって動いています。法律なんてものは、社会のなかのどうしようもない連中に対して、最低限これくらいは守れと提示される基準にすぎないわけです。ある人が、ある会社が、社会のなかで価値ある存在でありたい、尊敬される存在でありたいと願うならば、適法か違法かといったラインの上を行ったり来たりするべきではありません。もっと高いレベルの規律によって自らを律するべきです。これは私が法律家として、日々クライアントに接するにあたり、大切にしている観点です。

よって、改正健康増進法で提示される適法か違法かのラインは、最低限これくらいは守れという基準にすぎません。そしてその内容が、人が2人以上出入りする建物内では原則タバコを吸うなということなのです。

これは厳しいことでしょうか？

昭和の時代なら厳しいことであったかもしれません。しかし、もはや時代は流転したと我々は認識するべきです。かつて学校での体罰も会社でのパワハラ（という言葉はありませんでしたが）も必要な指導行為として広く容認されていましたが、そんな考え方はもはや通用しません。ネット上でこうした考え方を開陳しようものなら炎上必至でしょう。時代は変わったのです。

タバコに対する捉え方も同じなのです。もはや受動喫煙は、セクハラやパワハラといった人間関係で生じる人権侵害のひとつであると考えるべきなのでしょう。

そんな思いで本書に取り組みました。

改正健康増進法について、さらに詳しい内容をご希望の方は、私が管理する「飲食店のためのタバコ対策サイト」URL　http://tofree.kobepartners.netをご参照ください。

ご多忙のところ対談に参加してくださり、本書をつくる過程で多くの学びを与えてくださった、永江一石氏、田淵貴大氏、急ピッチかつ困難な編集に取り組んでくださったプチ・レトル株式会社の大倉一真氏、玉村優香氏に心より感謝申し上げます。

本書は、極めて個性的な3名の専門家がそれぞれの分野を活かしつつ、ただひとつ受動喫煙被害をなくしたいという思いのもと、結実した本です。本書が、受動喫煙被害の根絶に少しでも寄与することができればこのうえない喜びです。

あとがき
「タバコ嫌いの漫画家」としてデビューできた、4コマを描いた漫画家一星です♪
皆様、いかがでしたでしょうか？
改正健康増進法の内容は、自分なりに色々調べて知っていたつもりでしたが…
原則禁煙!? こんなルールだったんだ！
恥ずかしながら4コマの打合せを通じて理解を深めることができました。
この看板でいいでしょ？
喫煙可能店
Smoking area
さて、本のタイトル通り、2020年4月1日は受動喫煙からの解放記念日！…となって欲しいのですが、街中にはまだまだ受動喫煙のワナがたくさん潜んでいます。
紙タバコNGなのに電子タバコOKのマーク !?
加熱式タバコだけ使えます
NO SMOKING
なぜか意味無く仕切る喫煙所
←紙タバコ　電子タバコ→
加熱式タバコ
誰も望まない受動喫煙との戦いはまだまだ続くでしょう。
ルール破りの喫煙者に負けないように、皆様が正しい知識を身につけるために私の4コマが一助となれば幸いです。
ズバーン
最後に、今回の4コマ担当に「採用です!!!」と声をかけていただいた永江様、著者の皆様、編集のご担当者様、ありがとうございました！

おまけの4コマ漫画

4コマ担当の
漫画家一星が選ぶ
ワースト1位の
誰も望まない受動喫煙は…
路上喫煙!!
歩きタバコ
座りタバコ
どこにも禁煙マーク無いでしょ?
だったら喫煙してもいいよね
ところかまわず危険な煙を吐き散らすその姿…
まるで侍が街中で危険な刀を振り回すのと同じ!
あなたの吐く有害なタバコの煙で奪われる命がある…
路上喫煙とこれとどう違うの?
す…すいません

ニコチン依存症で
ガマンできないから
路上で喫煙をする人は
受動喫煙の害を無視して吸う。
本当の愛煙家は
喫煙所へ行って吸うよね、
吸いたいときに。

著者紹介

●田淵　貴大（たぶち　たかひろ）

医師・医学博士。専門は、公衆衛生学（社会医学）・タバコ対策。

1976年生まれ。2001年3月岡山大学医学部卒。血液内科臨床医として勤務したのち、大阪大学大学院にて公衆衛生学を学ぶ（2011年医学博士取得）。2011年4月から大阪国際がんセンターがん対策センター勤務。

現在、同がん対策センター疫学統計部の副部長。大阪大学や大阪市立大学の招聘教員。著者としてタバコ問題に関する論文を多数出版。日本公衆衛生学会、日本癌学会など多くの学会で、タバコ対策専門委員会の委員を務める。2016年日本公衆衛生学会奨励賞受賞。2018年後藤喜代子・ポールブルダリ科学賞受賞。現在、主にタバコ対策および健康格差の研究に従事。著作に『新型タバコの本当のリスク　アイコス、グロー、プルーム・テックの科学』がある。

Facebookでもタバコ対策関連情報を発信中。https://www.facebook.com/takahiro.tabuchi.92

●藤原　唯人（ふじわら　ただと）
1974年神戸市生まれ。京都大学法学部卒業、第53期司法修習生を経て、2000年に兵庫県弁護士会に弁護士登録。2000年当時、分煙すらなされていなかった兵庫県弁護士会館を禁煙にしようと立ち上がり、弁護士1年目にして全館禁煙を実現させた。改正前の健康増進法が成立するよりも前のことであった。

現在、神戸市中央区の神戸パートナーズ法律事務所にて執務。日本タバコフリー学会会員。飲食店のためのタバコ対策サイト（https://tofree.kobepartners.net/）を管理。改正健康増進法に関する講演やセミナーを行う。著書に『著作権で迷ったときに開く本　イラストレーターのための法律相談』ほか。

趣味は、ジャズピアノ演奏、旅行、似顔絵描き　Facebook ID: tadatof

●永江　一石（ながえ　いっせき）
東京都立大学（現首都大学東京）工学部建築学科卒。新卒でリクルート入社。求人広告制作、INS事業、カーセンサー編集部などを経て退社後、スプートニク設立。

編集、広告プロダクションであったが、１９９０年代後半からネット事業に特化。１９９９年、２０００年と、オン・ザ・エッヂ（現ライブドア）と共同構築・運営サイトが日経ＥＣグランプリを2年連続で受賞。

２００２年、ライブドアに事業買収されると同時にライブドアにてコンサルタント業務を担当。ビジネスモデル構築、石油会社、大手通販会社などを担当。

２００５年、ライブドア退社と同時にランダーブルー株式会社設立。新規商品開発、集客プロモーションなどのコンサルを手がける。著作に電子書籍『金がないなら頭を使え　頭がないなら手を動かせ：永江一石のＩＴマーケティング日記２０１３‐２０１５』『ネットが面白くてナニが悪い‼：ブログ3年間でバズった59エントリー総まとめ』『素人の顧客の意見は聞くな：永江一石のＩＴマーケティング日記２０１２』ほか。

月間ＰＶ最高で２００万超のブログ「永江一石のＩＴマーケティング日記」はこちら。https://www.landerblue.co.jp/

2020年4月1日は受動喫煙からの解放記念日!?

2020年5月20日　初版第1刷発行

著者　田淵 貴大
藤原 唯人
永江 一石

イラスト　漫画家一星

[制作]
編集　玉村 優香
編集協力　谷口 恵子
表紙　山杜デザイン
ブックデザイン　有限会社 北路社
印刷・製本　中央精版印刷 株式会社

[発行情報]
発行人　谷口　一真
発行所　プチ・レトル株式会社
115-0044 東京都北区赤羽南2-6-6
スカイブリッジビル地下1階
TEL:03-4291-3077　FAX:03-4496-4128
Mail:book@petite-lettre.com
http://petite-lettre.com

petite lettre プチ・レトル

ISBN 978-4-907278-76-2
乱丁本・落丁本は送料小社負担にてお取り替えいたします。